KiWi 62

Heinrich Böll

Die verlorene Ehre der Katharina Blum

oder: Wie Gewalt entstehen
und wohin sie führen kann

Erzählung

Mit Materialien und einem
Nachwort des Autors

Kiepenheuer & Witsch

19. Auflage 1996

© 1974, 1984, 1992 by Verlag Kiepenheuer & Witsch, Köln
Alle Rechte vorbehalten. Kein Teil des Werkes
darf in irgendeiner Form (durch Fotografie, Mikrofilm oder
ein anderes Verfahren) ohne schriftliche Genehmigung
des Verlages reproduziert oder unter Verwendung
elektronischer Systeme verarbeitet, vervielfältigt
oder verbreitet werden
Umschlaggestaltung Philipp Starke, Hamburg
Umschlagfoto Bildarchiv Engelmeier, München
Gesamtherstellung Clausen & Bosse, Leck
ISBN 3 462 01640 7

Inhalt

1.

Für den folgenden Bericht gibt es einige Neben- und drei Hauptquellen, die hier am Anfang einmal genannt, dann aber nicht mehr erwähnt werden. Die Hauptquellen: Vernehmungsprotokolle der Polizeibehörde, Rechtsanwalt Dr. Hubert Blorna, sowie dessen Schul- und Studienfreund, der Staatsanwalt Peter Hach, der – vertraulich, versteht sich – die Vernehmungsprotokolle, gewisse Maßnahmen der Untersuchungsbehörde und Ergebnisse von Recherchen, soweit sie nicht in den Protokollen auftauchten, ergänzte; nicht, wie unbedingt hinzugefügt werden muß, zu offiziellen, lediglich zu privatem Gebrauch, da ihm der Kummer seines Freundes Blorna, der sich das alles nicht erklären konnte und es doch »wenn ich es recht bedenke, nicht unerklärlich, sogar fast logisch« fand, regelrecht zu Herzen ging. Da der Fall der Katharina Blum angesichts der

9

Haltung der Angeklagten und der sehr schwierigen Position ihres Verteidigers Dr. Blorna ohnehin mehr oder weniger fiktiv bleiben wird, sind vielleicht gewisse kleine, sehr menschliche Unkorrektheiten, wie Hach sie beging, nicht nur verständlich, auch verzeihlich. Die Nebenquellen, einige von größerer, andere von geringerer Bedeutung, brauchen hier nicht erwähnt zu werden, da sich ihre Verstrickung, Verwicklung, Befaßtheit, Befangenheit, Betroffenheit und Aussage aus dem Bericht selbst ergeben.

2.

Wenn der Bericht – da hier soviel von Quellen geredet wird – hin und wieder als »fließend« empfunden wird, so wird dafür um Verzeihung gebeten: es war unvermeidlich. Angesichts von »Quellen« und »Fließen« kann man nicht von Komposition sprechen, so sollte man vielleicht statt dessen den Begriff der Zusammenführung (als Fremdwort dafür wird Konduktion vorgeschlagen) einführen, und dieser Begriff sollte jedem einleuchten, der je als Kind (oder gar Erwachsener) in, an und *mit* Pfützen gespielt hat, die er anzapfte, durch Kanäle miteinander verband, leerte, ablenkte, umlenkte, bis er schließlich das gesamte, ihm zur Verfügung stehende Pfützenwasserpotential in einem Sammelkanal *zusammenführte*, um es auf ein niedrigeres Niveau ab-, möglicherweise gar ordnungsgemäß oder ordentlich, regelrecht in eine behördlicherseits erstellte Abflußrinne oder in einen Kanal zu lenken. Es wird also nichts weiter vorgenommen als eine Art Dränage oder Trockenlegung. Ein ausgesprochener Ordnungsvorgang! Wenn also diese Erzählung stellenweise in Fluß kommt, wobei Niveauunterschiede und -ausgleiche eine Rolle spielen, so wird um Nachsicht gebeten, denn schließlich gibt es auch Stockungen, Stauungen, Versandungen, mißglückte Konduktionen und Quellen, die »zusammen nicht kommen können«, außerdem unterirdische Strömungen usw. usw.

3.

Die Tatsachen, die man vielleicht zunächst einmal darbieten sollte, sind brutal: am Mittwoch, dem 20. 2. 1974, am Vorabend von Weiberfastnacht, verläßt in einer Stadt eine junge Frau von siebenundzwanzig Jahren abends gegen 18.45 Uhr ihre Wohnung, um an einem privaten Tanzvergnügen teilzunehmen.

Vier Tage später, nach einer – man muß es wirklich so ausdrücken (es wird hiermit auf die notwendigen Niveauunterschiede verwiesen, die den Fluß ermöglichen) – dramatischen Entwicklung, am Sonntagabend um fast die gleiche Zeit – genauer gesagt gegen 19.04 –, klingelt sie an der Wohnungstür des Kriminaloberkommissars Walter Moeding, der eben dabei ist, sich aus dienstlichen, nicht privaten Gründen als Scheich zu verkleiden, und gibt dem erschrockenen Moeding zu Protokoll, sie habe mittags gegen 12.15 in ihrer Wohnung den Journalisten Werner Tötges erschossen, er möge veranlassen, daß ihre Wohnungstür aufgebrochen und er dort »abgeholt« werde; sie selbst habe sich zwischen 12.15 und 19.00 Uhr in der Stadt umhergetrieben, um Reue zu finden, habe aber keine Reue gefunden; sie bitte außerdem um ihre Verhaftung, sie möchte gern dort sein, wo auch ihr »lieber Ludwig« sei.

Moeding, der die junge Person von verschiedenen Vernehmungen her kennt und eine gewisse Sympathie für sie empfindet, zweifelt nicht einen Augenblick lang an ihren Angaben, er bringt sie in seinem Privatwagen zum Polizeipräsidium, verständigt seinen Vorgesetzten Kriminalhauptkommissar Beizmenne, läßt die junge Frau in eine Zelle verbringen, trifft sich eine Viertelstunde später mit Beizmenne vor ihrer Wohnungstür, wo ein entsprechend ausgebildetes Kommando die Tür aufbricht und die Angaben der jungen Frau bestätigt findet.

Es soll hier nicht so viel von Blut gesprochen werden, denn nur *notwendige* Niveauunterschiede sollen als unvermeidlich gelten, und deshalb wird hiermit aufs Fernsehen und aufs Kino verwiesen, auf Grusi- und Musicals einschlägiger Art; wenn hier etwas fließen soll, dann nicht Blut. Vielleicht sollte man lediglich auf gewisse Farbeffekte hinweisen: der erschossene Tötges trug ein improvisiertes Scheichkostüm, das aus einem schon recht verschlissenen Bettuch zurechtgeschneidert war, und jedermann weiß doch, was viel rotes Blut auf viel Weiß anrichten kann; da wird eine Pistole notwendigerweise fast zur Spritzpistole, und da es sich im Falle des Kostüms ja um *Leinwand* handelt, liegen hier moderne Malerei und Bühnenbild näher als Dränage. Gut. Das sind also die Fakten.

4

Ob auch der Bildjournalist Adolf Schönner, den
man erst am Aschermittwoch in einem Waldstück westlich der fröhlichen Stadt ebenfalls
erschossen fand, ein Opfer der Blum gewesen
war, galt eine Zeitlang als nicht unwahrscheinlich, später aber, als man eine gewisse
chronologische Ordnung in den Ablauf gebracht hatte, als »erwiesen unzutreffend«. Ein
Taxifahrer sagte später aus, er habe den ebenfalls als Scheich verkleideten Schönner mit einer als Andalusierin verkleideten jungen
Frauensperson zu eben jenem Waldstück gefahren. Nun war aber Tötges schon am Sonn-
tagmittag erschossen worden, Schönner aber
erst am Dienstagmittag. Obwohl man bald
herausfand, daß die Tatwaffe, die man neben
Tötges fand, keinesfalls die Waffe sein konnte,
mit der Schönner getötet worden war, blieb der
Verdacht für einige Stunden auf der Blum ru-
hen, und zwar des Motivs wegen. Wenn sie
schon Grund gehabt hatte, sich an Tötges zu
rächen, so hatte sie mindestens soviel Grund
gehabt, sich an Schönner zu rächen. Daß die
Blum aber zwei Waffen besessen haben
könnte, erschien den ermittelnden Behörden

dann doch als sehr unwahrscheinlich. Die Blum war bei ihrer Bluttat mit einer kalten Klugheit zu Werke gegangen; als man sie fragte, ob sie auch Schönner erschossen habe, gab sie eine ominöse, als Frage verkleidete Antwort: »Ja, warum eigentlich nicht den auch?« Dann aber verzichtete man darauf, sie auch des Mordes an Schönner zu verdächtigen, zumal Alibirecherchen sie fast eindeutig entlasteten. Keiner, der Katharina Blum kannte oder im Laufe der Untersuchung ihren Charakter kennenlernte, zweifelte daran, daß sie, falls sie ihn begangen hätte, den Mord an Schönner eindeutig zugegeben hätte. Der Taxifahrer, der das Pärchen zum Waldstück gefahren hatte (»Ich würde es ja eher als verwildertes Gebüsch bezeichnen«, sagte er), erkannte jedenfalls die Blum auf Fotos nicht. »Mein Gott«, sagte er, »diese hübschen braunhaarigen jungen Dinger zwischen 1,63 und 1,68 groß, schlank und zwischen 24 und 27 Jahre alt – davon laufen doch Karneval Hunderttausende hier herum.«

In der Wohnung des Schönner fand man keinerlei Spuren von der Blum, keinerlei Hinweis auf die Andalusierin. Kollegen und Bekannte des Schönner wußten nur, daß er am Dienstag gegen Mittag von einer Kneipe aus, in der sich Journalisten trafen, »mit irgendeiner Brumme abgehauen war«.

5.

Ein hoher Karnevalsfunktionär, Weinhändler und Sektvertreter, der sich rühmen konnte, den Humor wieder aufgebaut zu haben, zeigte sich erleichtert, daß beide Taten erst am Montag bzw. Mittwoch bekanntgeworden waren. »So was am Anfang der frohen Tage, und Stimmung und Geschäft sind hin. Wenn herauskommt, daß Verkleidungen zu kriminellen Taten mißbraucht werden, ist die Stimmung sofort hin und das Geschäft versaut. Das sind echte Sakrilege. Ausgelassenheit und Frohsinn brauchen Vertrauen, das ist ihre Basis.«

6.

Ziemlich merkwürdig verhielt sich die ZEITUNG, nachdem die beiden Morde an ihren Journalisten bekannt wurden. Irrsinnige Aufregung! Schlagzeilen. Titelblätter. Sonderausgaben. Todesanzeigen überdimensionalen Ausmaßes. Als ob – wenn schon auf der Welt geschossen wird – der Mord an einem Journalisten etwas Besonderes wäre, wichtiger etwa als der Mord an einem Bankdirektor, -ange- stellten oder -räuber.

Diese Tatsache der Über-Aufmerksamkeit der Presse muß hier vermerkt werden, weil nicht nur die ZEITUNG, auch andere Zeitungen tat- sächlich den Mord an einem Journalisten als etwas besonders Schlimmes, Schreckliches, fast Feierliches, man könnte fast sagen wie ei- nen Ritualmord behandelten. Es wurde sogar von »Opfer seines Berufes« gesprochen, und natürlich hielt die ZEITUNG selbst hartnäk- kig an der Version fest, auch Schönner wäre ein Opfer der Blum, und wenn man auch zugeben muß, daß Tötges wahrscheinlich nicht er- schossen worden wäre, wäre er nicht Journalist geworden (sondern etwa Schuhmacher oder Bäcker), so hätte man doch herauszufinden versuchen sollen, ob man nicht besser von be- ruflich bedingtem Tod hätte sprechen müssen, denn es wird ja noch geklärt werden, warum eine so kluge und fast kühle Person wie die Blum den Mord nicht nur plante, auch aus- führte und im entscheidenden, von ihr herbei- geführten Augenblick nicht nur zur Pistole griff, sondern diese auch in Tätigkeit setzte.

7

Gehen wir von diesem äußerst niedrigen Niveau sofort wieder auf höhere Ebenen. Weg mit dem Blut. Vergessen sein soll die Aufregung der Presse. Die Wohnung der Katharina Blum ist inzwischen gesäubert, die unbrauchbar gewordenen Teppiche sind auf dem Abfall gelandet, die Möbel abgewischt und zurechtgerückt, das alles auf Kosten und Veranlassung von Dr. Blorna, der sich dazu durch seinen Freund Hach bevollmächtigen ließ, wenn auch noch lange nicht sicher ist, daß Blorna der Vermögensverwalter sein wird.

Immerhin hat diese Katharina Blum innerhalb von fünf Jahren in eine Eigentumswohnung im Wert von insgesamt einhunderttausend Mark sechzigtausend bar investiert, es gibt da also – wie ihr Bruder, der zur Zeit eine geringfügige Freiheitsstrafe abbüßt – es ausdrückte, was »Handfestes abzustauben«. Aber wer käme dann für die Zinsen und die Amortisation der restlichen vierzigtausend Mark auf, und wenn man auch eine nicht unerhebliche Wertsteigerung einkalkulieren muß. Es bleiben nicht nur Akt- auch Passiva.

Tötges immerhin ist längst beerdigt (mit einem unangemessenen Aufwand, wie manche Leute festgestellt haben). Schönners Tod und Beerdigung sind merkwürdigerweise nicht mit solcher Aufmachung und Aufmerksamkeit betrieben und bemerkt worden. Warum wohl? Weil er kein »Opfer seines Berufes« war, sondern wahrscheinlicher das Opfer eines Eifersuchtsdramas? Das Scheichkostüm ist in der Asservatenkammer, auch die Pistole (eine 08), über deren Herkunft nur Blorna Bescheid weiß, während Polizei und Staatsanwaltschaft sich vergeblich bemüht haben, dies herauszufinden.

8.

Die Recherchen über die Aktivitäten der Blum während der fraglichen vier Tage ließen sich für die ersten Tage gut an, stockten erst, als es den Sonntag zu erkunden galt.
Blorna selbst hatte Katharina Blum am Mittwochnachmittag zwei volle Wochenlöhne in Höhe von je 280 DM ausgezahlt, einen für die laufende Woche, den zweiten für die folgende Woche, da er selbst am Mittwochnachmittag mit seiner Frau in den Winterurlaub fuhr. Katharina hatte den Blornas nicht nur verspro-

chen, sondern geradezu geschworen, daß sie endlich einmal Urlaub machen und sich über Karneval amüsieren wolle und nicht, wie in all den Jahren davor, ins Saisongeschäft gehen würde. Sie hatte den Blornas freudig mitgeteilt, daß sie für den Abend zu einem privaten kleinen Hausball bei ihrer Patentante, Freundin und Vertrauten Else Woltersheim eingeladen sei und sich sehr darauf freue, sie habe so lange keine Gelegenheit mehr gehabt, zu tanzen. Daraufhin habe Frau Dr. Blorna zu ihr gesagt: »Warte nur, Kathrinchen, wenn wir zurück sind, geben wir mal wieder 'ne Party, dann kannst du auch wieder tanzen.« Seitdem sie in der Stadt war, seit fünf oder sechs Jahren, hatte Katharina sich immer wieder über die nicht vorhandenen Möglichkeiten, »mal einfach irgendwo tanzen zu gehen«, beklagt. Da gab es, wie sie Blornas erzählte, diese Buden, in denen eigentlich nur verklemmte Studenten eine kostenlose Nutte suchen, dann gab es diese bohemeartigen Dinger, in denen es ihr ebenfalls zu wüst zuging, und konfessionelle Tanzveranstaltungen verabscheute sie geradezu.

Am Mittwochnachmittag hatte Katharina, wie sich leicht ermitteln ließ, noch zwei Stunden bei dem Ehepaar Hiepertz gearbeitet, wo sie gelegentlich und auf Anfrage aushalf. Da die Hiepertz ebenfalls die Stadt während der Karnevalstage verließen und zu ihrer Tochter nach Lemgo fuhren, hatte Katharina die beiden alten Herrschaften noch in ihrem Volkswagen zum Bahnhof gebracht. Trotz erheblicher Parkschwierigkeiten hatte sie darauf bestanden, sie auch noch auf den Bahnsteig zu bringen und ihr Gepäck zu tragen. (»Nicht ums Geld, nein, für solche Gefälligkeiten dürfen wir ihr gar nichts anbieten, das würde sie tief kränken«, erläuterte Frau Hiepertz.) Der Zug war nachweislich um 17.30 Uhr gefahren. Wenn man Katharina fünf bis zehn Minuten zubilligen wollte, um inmitten des beginnenden Karnevalsrummels ihren Wagen zu finden, weitere zwanzig oder gar fünfundzwanzig Minuten, um ihre außerhalb der Stadt in einem Wohnpark gelegene Wohnung zu erreichen, die sie also erst zwischen 18.00 und 18.15 Uhr betreten haben konnte, so blieb keine Minute ungedeckt, wenn man ihr gerechterweise zubilligen mochte, daß sie sich gewaschen, umgezogen, eine Kleinigkeit gegessen hatte, denn sie war schon gegen 19.25 Uhr bei Frau Woltersheim zur Party erschienen, nicht per

Auto, sondern per Straßenbahn, und sie war
weder als Beduinenfrau noch als Andalusierin
verkleidet, sondern lediglich mit einer roten
Nelke im Haar, in roten Strümpfen und Schu-
hen, in einer hochgeschlossenen Bluse aus ho-
nigfarbener Honanseide und einem gewöhnli-
chen Tweedrock von gleicher Farbe. Man mag
es gleichgültig finden, ob Katharina mit ihrem
Auto oder mit der Straßenbahn zur Party fuhr,
es muß hier erwähnt werden, weil es im Laufe
der Ermittlungen von erheblicher Bedeutung
war.

9.

Von dem Augenblick an, da sie die Wolters-
heimsche Wohnung betrat, wurden die Ermittlungen erleichtert, weil Katharina von
19.25 Uhr an, ohne es zu ahnen, unter polizei-
licher Beobachtung stand. Den ganzen Abend
über, von 19.30 bis 22.00 Uhr, bevor sie mit
diesem die Wohnung verließ, hatte sie »ausschließlich und innig«, wie sie selber später
aussagte, mit einem gewissen Ludwig Götten
getanzt.

Man sollte hier nicht vergessen, dem Staatsanwalt Peter Hach Dankbarkeit zu zollen, denn ihm einzig und allein verdankt man die an justizinternen Klatsch grenzende Mitteilung, daß Kriminalkommissar Erwin Beizmenne von dem Augenblick an, da die Blum mit Götten die Wohnung der Woltersheim verließ, die Telefone der Woltersheim und der Blum abhören ließ. Das geschah auf eine Weise, die man vielleicht der Mitteilung für wert halten mag. Beizmenne rief in solchen Fällen den dafür zuständigen Vorgesetzten an und sagte zu diesem: »Ich brauche mal wieder meine Zäpfchen. Diesmal zwei.«

11.

Offenbar hat Götten von Katharinas Wohnung aus nicht telefoniert. Jedenfalls wußte Hach nichts davon. Sicher ist, daß die Wohnung von Katharina streng überwacht wurde, und als bis 10.30 Uhr am Donnerstagmorgen weder telefoniert worden war, noch Götten die Wohnung verlassen hatte, drang man, da Beizmenne die Geduld und auch die Nerven zu verlieren be-

gann, mit acht schwerbewaffneten Polizeibeamten in die Wohnung ein, stürmte sie regelrecht unter strengsten Vorsichtsmaßregeln,
durchsuchte sie, fand aber Götten nicht mehr,
lediglich die »äußerst entspannt, fast glücklich
wirkende« Katharina, die an ihrer Küchenan-
richte stand, wo sie aus einem großen Becher
Kaffee trank und in eine mit Butter und Honig
bestrichene Scheibe Weißbrot biß. Sie machte
sich insofern verdächtig, als sie nicht überrascht, sondern gelassen, »wenn nicht trium-
phierend« wirkte. Sie trug einen Bademantel
aus grüner Baumwolle, der mit Margueriten
bestickt war, war darunter unbekleidet, und
als sie von Kommissar Beizmenne (»ziemlich
barsch«, wie sie später erzählte) gefragt wurde,
wo Götten geblieben sei, sagte sie, sie wisse
nicht, wann Ludwig die Wohnung verlassen
habe. Sie sei gegen 9.30 Uhr wach geworden,
und da sei er schon weg gewesen. »Ohne Abschied?« »Ja.«

12.

An dieser Stelle sollte man etwas über eine
höchst umstrittene Frage von Beizmenne erfahren, die Hach einmal zum besten gab, wi-

24

derrief, dann noch einmal erzählte und zum
zweitenmal widerrief. Blorna hält diese Frage
für wichtig, weil er glaubt, daß, wenn sie wirklich gestellt worden sei, hier und nirgendwo
anders der Beginn von Katharinas Verbitterung, Beschämung und Wut gelegen haben
könnte. Da Blorna und seine Frau Katharina
Blum als in sexuellen Dingen äußerst emp-
findlich, fast prüde schildern, muß die *Möglichkeit*, Beizmenne könnte − ebenfalls in
höchster Wut über den entschwundenen Götten, den er sicher zu haben glaubte − die umstrittene Frage gestellt haben, hier erwogen
werden. Beizmenne *soll* die aufreizend gelassen an ihrer Anrichte lehnende Katharina
nämlich gefragt haben: »Hat er dich denn ge-
fickt«, woraufhin Katharina sowohl rot geworden sein wie in stolzem Triumph gesagt
haben soll: »Nein, ich würde es nicht so nennen.«
Man kann getrost annehmen, daß, *wenn* Beizmenne diese Frage gestellt hat, von diesem
Augenblick an keinerlei Vertrauen mehr zwischen ihm und Katharina entstehen konnte.
Die Tatsache, daß es tatsächlich nicht zu einem Vertrauensverhältnis zwischen den beiden kam − obwohl Beizmenne, der als »gar

nicht so übel« gilt, es nachweislich versuchte –, sollte aber nicht als endgültiger Be-
weis dafür angesehen werden, daß er die ominöse Frage wirklich gestellt hat. Hach jedenfalls, der bei der Haussuchung zugegen war,
gilt unter Bekannten und Freunden als »Sex-
klemmer«, und es wäre durchaus möglich, daß
ihm selbst ein so grober Gedanke gekommen
ist, als er die äußerst attraktive Blum da so
nachlässig an ihrer Anrichte lehnen sah, und
daß er diese Frage gern gestellt oder die so grob
definierte Tätigkeit gern mit ihr ausgeübt
hätte.

13.

Die Wohnung wurde anschließend gründlich
durchsucht, es wurden einige Gegenstände beschlagnahmt, vor allem Schriftliches. Katharina Blum durfte sich im Badezimmer in Gegenwart der weiblichen Beamtin Pletzer
anziehen. Doch durfte die Badezimmertür
nicht ganz geschlossen werden; sie wurde von
zwei bewaffneten Beamten schärfstens bewacht. Es wurde Katharina gestattet, ihre
Handtasche mitzunehmen, und da ihre Verhaftung nicht ausgeschlossen werden konnte,

durfte sie Nachtzeug, einen Toilettenbeutel, Lektüre mitnehmen. Ihre Bibliothek bestand aus vier Liebesromanen, drei Kriminalromanen sowie aus einer Napoleonbiographie und einer Biographie der Königin Christina von Schweden. Sämtliche Bücher stammten aus einem Buchklub. Da sie dauernd fragte »Aber wieso, wieso denn, was habe ich denn verbrochen«, wurde ihr schließlich von der Kriminalbeamtin Pletzer in höflicher Form mitgeteilt, daß Ludwig Götten ein lange gesuchter Bandit sei, des Bankraubes fast überführt und des Mordes und anderer Verbrechen verdächtig.

14.

Als Katharina Blum endlich gegen 11.15 Uhr aus ihrer Wohnung fort und zur Vernehmung geführt wurde, verzichtete man letzten Endes doch darauf, ihr Handschellen anzulegen. Beizmenne neigte zwar dazu, auf Handschellen zu bestehen, ließ sich aber nach einem kurzen Dialog zwischen der Beamtin Pletzer und seinem Assistenten Moeding herbei, darauf zu verzichten. Da wegen der an diesem Tag beginnenden Weiberfastnacht zahlreiche Hausbewohner nicht zur Arbeit gegangen und noch nicht zu den alljährlich fälligen saturnalienartigen Umzügen, Festen etc. aufgebrochen waren, standen etwa drei Dutzend Bewohner des zehnstöckigen Appartementhauses in Mänteln, Morgenröcken und Bademänteln im Foyer, und der Pressefotograf Schönner stand wenige Schritte vor dem Aufzug, als Katharina Blum, zwischen Beizmenne und Moeding, von bewaffneten Polizeibeamten flankiert, den Aufzug verließ. Sie wurde von vorne, von hinten, von der Seite mehrmals fotografiert, zuletzt, da sie in ihrer Scham und Verwirrung mehrmals ihr Gesicht zu verdecken versuchte und dabei mit ihrer Handtasche, dem Toilettenbeutel und einer Plastiktüte, in der zwei Bücher und Schreibzeug waren, in Konflikt geriet, mit zerwühltem Haar und recht unfreundlichem Gesichtsausdruck.

15.

Eine halbe Stunde später, nachdem sie auf ihre Rechte hingewiesen worden und ihr Gelegenheit gegeben worden war, sich wieder etwas herzurichten, begann in Gegenwart von Beizmenne, Moeding, der Frau Pletzer sowie der Staatsanwälte Dr. Korten und Hach die Vernehmung, die protokolliert wurde: »Mein Name ist Katharina Brettloh, geb. Blum. Ich wurde am 2. März 1947 in Gemmelsbroich im Landkreis Kuir geboren. Mein Vater war der Bergarbeiter Peter Blum. Er starb, als ich sechs Jahre alt war, im Alter von siebenunddreißig Jahren an einer Lungenverletzung, die er im Krieg erlitten hatte. Mein Vater hatte nach dem Krieg wieder in einem Schieferbergwerk gearbeitet und war auch staublungenverdächtig. Meine Mutter hatte nach seinem Tode Schwierigkeiten mit der Rente, weil sich das Versorgungsamt und die Knappschaft nicht einigen konnten. Ich mußte schon sehr früh im Haushalt arbeiten, weil mein Vater häufig krank war und entsprechenden Verdienstausfall hatte und meine Mutter verschiedene Putzstellen annahm. In der Schule hatte ich keinerlei Schwierigkeiten, obwohl ich auch während der Schulzeit viel Hausarbeit machen mußte, nicht nur zu Hause, auch bei Nachbarn und anderen Dorfbewohnern, wo ich beim Backen, Kochen, Einmachen, Schlachten zur Hand ging. Ich tat auch viel Hausarbeit und half bei der Ernte. Mit Hilfe meiner Patentante, Frau Else Woltersheim aus Kuir, bekam ich nach der Schulentlassung im Jahre 1961

eine Stelle als Hausgehilfin in der Metzgerei
Gerbers in Kuir, wo ich auch beim Verkaufen
gelegentlich aushelfen mußte. Von 1962 bis
1965 besuchte ich mit Hilfe und durch finan-
zielle Unterstützung meiner Patentante Frau
Woltersheim, die dort als Ausbilderin tätig
war, eine Hauswirtschaftsschule in Kuir, die
ich mit sehr gut absolvierte. Von 1966 bis 1967
arbeitete ich als Wirtschafterin im Ganztags-
kindergarten der Firma Koeschler im benach-
barten Oftersbroich, bekam dann eine Stelle
als Hausgehilfin bei dem Arzt Dr. Kluthen,
ebenfalls in Oftersbroich, wo ich nur ein Jahr
verblieb, weil Herr Doktor immer häufiger zudringlich wurde und Frau Doktor das nicht leiden mochte. Auch ich mochte diese Zudringlichkeiten nicht. Mir war das widerwärtig. Im
Jahre 1968, als ich für einige Wochen stellenlos
war und im Haushalt meiner Mutter aushalf
und gelegentlich bei den Versammlungen und
Kegelabenden des Trommlerkorps Gemmelsbroich aushalf, lernte ich durch meinen älteren
Bruder Kurt Blum den Textilarbeiter Wilhelm
Brettloh kennen, den ich wenige Monate später heiratete. Wir wohnten in Gemmelsbroich,
wo ich gelegentlich an den Wochenenden bei
starkem Ausfluglerverkehr in der Gastwirt-

schaft Kloog in der Küche aushalf, manchmal auch als Serviererin. Schon nach einem halben Jahr empfand ich unüberwindliche Abneigung gegen meinen Mann. Näheres möchte ich dazu nicht aussagen. Ich verließ meinen Mann und zog in die Stadt. Ich wurde schuldig geschieden wegen böswilligen Verlassens und nahm meinen Mädchennamen wieder an. Ich wohnte zunächst bei Frau Woltersheim, bis ich nach einigen Wochen eine Stelle als Wirtschafterin und Hausgehilfin im Hause des Wirtschaftsprüfers Dr. Fehnern fand, wo ich auch wohnte. Herr Dr. Fehnern ermöglichte es mir, Abend- und Weiterbildungskurse zu besuchen und eine Fachprüfung als staatlich geprüfte Wirtschafterin abzulegen. Er war sehr nett und sehr großzügig, und ich blieb auch bei ihm, nachdem ich die Prüfung abgelegt hatte. Ende des Jahres 1969 wurde Herr Dr. Fehnern im Zusammenhang mit erheblichen Steuerhinterziehungen, die bei großen Firmen, für die er arbeitete, festgestellt worden waren, verhaftet. Bevor er abgeführt wurde, gab er mir einen Briefumschlag mit drei Monatsgehältern und bat mich, auch weiterhin nach dem Rechten zu sehen, er käme bald wieder, sagte er. Ich blieb noch einen Monat, versorgte seine Angestell-

ten, die unter der Aufsicht von Steuerbeamten in seinem Büro arbeiteten, hielt das Haus sauber und den Garten in Ordnung, kümmerte mich auch um die Wäsche. Ich brachte Herrn Dr. Fehnern immer frische Wäsche ins Untersuchungsgefängnis, auch zu essen, besonders Ardennenpastete, die ich beim Metzger Gerbers in Kuir herzustellen gelernt hatte. Später wurde die Praxis geschlossen, das Haus beschlagnahmt, ich mußte mein Zimmer räumen. Herrn Dr. Fehnern hatte man anscheinend auch Unterschlagung und Fälschung nachgewiesen, und er kam richtig ins Gefängnis, wo ich ihn auch weiterhin besuchte. Ich wollte ihm auch die zwei Monatsgehälter zurückgeben, die ich ihm noch schuldete. Er verbat sich das regelrecht. Ich fand sehr rasch eine Stelle bei dem Ehepaar Dr. Blorna, die ich durch Herrn Fehnern kennengelernt hatte.
Blornas bewohnen einen Bungalow in der Parksiedlung Südstadt. Obwohl mir dort Wohnung geboten wurde, lehnte ich ab, ich wollte endlich unabhängig sein und meinen Beruf mehr freiberuflich ausüben. Das Ehepaar Blorna war sehr gütig zu mir. Frau Dr. Blorna verhalf mir – sie arbeitet in einem großen Architekturbüro – zu meiner Eigentumswoh-

nung in der Satellitenstadt im Süden, die unter dem Motto ›Elegant am Strom wohnen‹ angezeigt wurde. Herr Dr. Blorna war in seiner Eigenschaft als Industrieanwalt, Frau Dr. Blorna in ihrer Eigenschaft als Architektin mit dem Projekt vertraut. Ich berechnete mit Herrn Dr. Blorna die Finanzierung, Verzinsung und Amortisation eines Zwei-Zimmer-Küche-Bad-Appartements im 8. Stock, und da ich inzwischen Ersparnisse in Höhe von 7000 DM hatte zurücklegen können, und das Ehepaar Blorna für einen Kredit in Höhe von 30000 DM bürgte, konnte ich schon Anfang 1970 in meine Wohnung einziehen. Meine monatliche Mindestbelastung betrug zu Beginn etwa 1100 DM, da aber das Ehepaar Blorna meine Verpflegung nicht berechnete, Frau Blorna mir sogar noch jeden Tag etwas zum Essen und Trinken zusteckte, konnte ich sehr sparsam leben und meinen Kredit rascher amortisieren als anfänglich berechnet war. Ich führe seit vier Jahren die Wirtschaft und den Haushalt dort selbständig, meine Arbeitszeit beginnt um sieben Uhr morgens und endet nachmittags gegen sechzehn Uhr dreißig, wenn ich mit den Haus- und Reinigungsarbeiten, dem Einkaufen, den Vorbereitungen für das Abendessen fertig bin. Ich besorge auch die gesamte Wäsche des Haushalts. Zwischen sechzehn Uhr dreißig und siebzehn Uhr dreißig kümmere ich mich um meinen eigenen Haushalt und arbeite dann gewöhnlich noch eineinhalb bis zwei Stunden bei dem Rentnerehepaar Hiepertz. Samstags- und Sonntagsarbeit bekomme ich bei beiden gesondert bezahlt. In meiner freien Zeit arbeite ich gelegentlich beim Traiteur Kloft, oder ich helfe bei Empfängen, Parties, Hochzeiten, Gesellschaften, Bällen, meistens als frei angeworbene Wirtschafterin auf Pauschale und eigenes Risiko, manchmal auch im Auftrag der Firma Kloft. Ich arbeite in der Kalkulation, der organisatorischen Planung, gelegentlich auch als Köchin oder Serviererin. Meine Bruttoeinnahmen betragen im Durchschnitt 1800 bis 2300 Mark im Monat. Dem Finanzamt gegenüber gelte ich als freiberuflich. Ich zahle meine Steuern und Versicherungen selbst. Alle diese Dinge ... Steuererklärung etc. werden kostenlos für mich durch das Büro Blorna erledigt. Seit dem Frühjahr 1972 besitze ich einen Volkswagen, Baujahr 1968, den mir der bei der Firma Kloft beschäftigte Koch Werner Klormer günstig überließ. Es wurde für mich zu

34

schwierig, die verschiedenen und auch wechselnden Arbeitsplätze mit den öffentlichen Verkehrsmitteln zu erreichen. Mit dem Auto wurde ich auch beweglich genug, auf Empfängen und bei Festlichkeiten mitzuarbeiten, die in weiter entfernt liegenden Hotels abgehalten wurden.«

16.

Es dauerte von 10.45 bis 12.30 Uhr, und nach einer Unterbrechung von einer Stunde, von 13.30 bis 17.45 Uhr, bevor dieser Teil der Vernehmung abgeschlossen war. In der Mittagspause weigerte sich die Blum, Kaffee und Käsebrote von der Polizeiverwaltung anzunehmen, und auch das intensive Zureden der ihr offensichtlich wohlwollenden Frau Pletzer und des Assistenten Moeding konnten an ihrer Haltung nichts ändern. Es war ihr – wie Hach erzählte – offenbar unmöglich, das Dienstliche vom Privaten zu trennen, die Notwendigkeit der Vernehmung einzusehen. Als Beizmenne, der sich Kaffee und Brote schmecken ließ und mit geöffnetem Kragen und gelockerter Krawatte nicht nur väterlich wirkte, sondern wirklich väterlich wurde, bestand die Blum darauf, in ihre Zelle verbracht zu werden. Die beiden Polizeibeamten, die zu ihrer Bewachung abkommandiert waren, bemühten sich nachweislich, ihr Kaffee und Brote anzubieten, aber sie schüttelte hartnäckig den Kopf, saß auf ihrer Pritsche, rauchte eine Zigarette und äußerte durch Naserümpfen und Ekel bezeugendes Mienenspiel ihren Abscheu vor der noch mit Resten von Erbrochenem bekleckerten Toilette in der Zelle. Später gestattete sie Frau Pletzer, nachdem diese und die beiden jungen Beamten ihr zugeredet hatten, ihr den Puls zu fühlen, als der Puls sich als normal erwies, ließ sie sich dann auch herab, sich aus einem nahe gelegenen Café ein Stück Sandkuchen und eine Tasse Tee holen zu lassen, bestand aber darauf, das aus eigener Tasche zu bezahlen, obwohl einer der jungen Beamten, der am Morgen ihre Badezimmertüre bewacht hatte, während sie sich anzog, bereit war, ihr »einen auszugeben«. Das Urteil der beiden Polizeibeamten und der Frau Pletzer über diese Episode mit Katharina Blum: humorlos.

Zwischen 13.30 und 17.45 Uhr wurde die Vernehmung zur Person fortgesetzt, die Beizmenne gern kürzer gehabt hätte, die Blum aber
bestand auf Ausführlichkeit, die ihr von den
beiden Staatsanwälten zugestanden wurde,
schließlich war auch Beizmenne – erst wider-
willig, später einsichtigerweise wegen des ge-
lieferten Hintergrundes, der ihm wichtig erschien – mit der Ausführlichkeit einverstanden.

Gegen 17.45 erhob sich nun die Frage, ob man
die Vernehmung fortsetzen oder unterbrechen,
ob man die Blum freilassen oder in eine Zelle
verbringen solle. Sie hatte sich gegen 17.00
tatsächlich herbeigelassen, noch ein Kännchen
Tee zu akzeptieren und ein belegtes Brötchen
(Schinken) zu verzehren, und erklärte sich damit einverstanden, die Vernehmung fortzu-
setzen, da ihr Beizmenne nach Abschluß der-
selben Freilassung versprach. Es kam nun ihr
Verhältnis zu Frau Woltersheim zur Sprache.
Sie sei, sagte Katharina Blum, ihre Patentante,
habe sich immer schon um sie gekümmert, sei
eine entfernte Kusine ihrer Mutter; sie habe,
als sie in die Stadt zog, sofort Kontakt mit ihr
aufgenommen.

»Am 20. 2. war ich zu diesem Hausball eingeladen, der eigentlich am 21. 2., an Weiberfastnacht, hatte stattfinden sollen, dann aber vor-
verlegt wurde, weil Frau Woltersheim für
Weiberfastnacht berufliche Verpflichtungen
übernommen hatte. Es war das erste Tanzvergnügen, an dem ich seit vier Jahren teilnahm.
Ich korrigiere meine Aussage dahingehend:
verschiedentlich, vielleicht zwei-, drei-, möglicherweise viermal habe ich bei Blornas mit-
getanzt, wenn ich dort abends bei Gesellschaften aushalf. Zu vorgerückter Stunde, wenn ich
mit Aufräumen und Abwaschen fertig war,
wenn der Kaffee serviert war und Dr. Blorna die
Bar übernommen hatte, holte man mich in den
Salon, und ich tanzte dort mit Herrn Dr. Blorna
und auch mit anderen Herren aus Akademi-
ker-, Wirtschafts- und Politikerkreisen. Später
bin ich nur noch sehr ungern oder zögernd,
dann gar nicht mehr diesen Aufforderungen
gefolgt, es kam, da die Herren oft angetrunken
waren, auch dort zu Zudringlichkeiten. Genauer gesagt: seitdem ich mein eigenes Auto
besaß, habe ich diese Aufforderungen abgelehnt. Vorher war ich davon abhängig, daß einer der Herren mich nach Hause brachte. Auch
mit diesem Herren dort« – – sie zeigte auf

Hach, der tatsächlich errötete, »habe ich gelegentlich getanzt.« Die Frage, ob auch Hach zudringlich geworden sei, wurde nicht gestellt.

18.

Die Dauer der Vernehmungen ließ sich daraus erklären, daß Katharina Blum mit erstaunlicher Pedanterie jede einzelne Formulierung kontrollierte, sich jeden Satz, so wie er ins Protokoll aufgenommen wurde, vorlesen ließ. Z.B. die im letzten Abschnitt erwähnten Zudringlichkeiten waren erst als Zärtlichkeiten ins Protokoll eingegangen bzw. zunächst in der Fassung, »daß die Herren zärtlich wurden«; wogegen sich Katharina Blum empörte und energisch wehrte. Es kam zu regelrechten Definitionskontroversen zwischen ihr und den Staatsanwälten, ihr und Beizmenne, weil Katharina behauptete, Zärtlichkeit sei eben eine beiderseitige und Zudringlichkeit eine einseitige Handlung, und um letztere habe es sich immer gehandelt. Als die Herren fanden, das sei doch alles nicht so wichtig und sie sei schuld, wenn die Vernehmung länger dauere als üblich sei, sagte sie, sie würde kein Protokoll unterschreiben, in dem statt Zudringlich-

keiten Zärtlichkeiten stehe. Der Unterschied
sei für sie von entscheidender Bedeutung, und
einer der Gründe, warum sie sich von ihrem
Mann getrennt habe, hänge damit zusammen;
der sei eben nie zärtlich, sondern immer zudringlich gewesen.
Ähnliche Kontroversen hatte es um das Wort
»gütig«, auf das Ehepaar Blorna angewandt,
gegeben. Im Protokoll stand »nett zu mir«, die
Blum bestand auf dem Wort gütig, und als ihr
statt dessen gar das Wort gutmütig vorgeschlagen wurde, weil gütig so altmodisch
klinge, war sie empört und behauptete, Net-
tigkeit und Gutmütigkeit hätten mit Güte
nichts zu tun, als letzteres habe sie die Haltung
der Blornas ihr gegenüber empfunden.

19.

Inzwischen waren die Hausbewohner vernommen worden, von denen der größere Teil
wenig oder gar nichts über Katharina Blum
aussagen konnte; man habe sie gelegentlich
im Aufzug getroffen, sich gegrüßt, wisse, daß
ihr der rote Volkswagen gehöre, man habe sie
für eine Chefsekretärin gehalten, andere für
eine Abteilungsleiterin in einem Warenhaus;

sie sei immer adrett, freundlich, wenn auch kühl gewesen. Von den Bewohnern der fünf Appartements im achten Stock, in dem Katharinas Wohnung lag, konnten nur zwei Näheres mitteilen. Die eine war die Inhaberin eines Frisiersalons, Frau Schmill, der andere war ein pensionierter Beamter vom Elektrizitätswerk namens Ruhwiedel, und das Verblüffende war die beiden Aussagen gemeinsame Behauptung, Katharina habe hin und wieder Herrenbesuch empfangen oder mitgebracht. Frau Schmill behauptete, der Besuch sei regelmäßig gekommen, so alle zwei, drei Wochen, und es sei ein etwa vierzigjähriger, sehr elastisch wirkender Herr aus »offensichtlich besseren« Kreisen gewesen, während Herr Ruhwiedel den Besucher als ziemlich jungen Schlacks bezeichnete, der einige Male allein, einige Male mit Fräulein Blum gemeinsam deren Wohnung betreten habe. Und zwar innerhalb der vergangenen zwei Jahre etwa acht- bis neunmal, »und das sind nur die Besuche, die ich beobachtet habe – über die, die ich nicht beobachtet habe, kann ich natürlich nichts sagen«. Als Katharina am späten Nachmittag mit diesen Aussagen konfrontiert und aufgefordert wurde, dazu Stellung zu nehmen, war es Hach, der ihr, noch bevor er die Frage formulierte, entgegenzukommen versuchte und ihr nahelegte, ob diese Herrenbesuche etwa die Herren gewesen wären, die sie gelegentlich nach Hause gebracht hätten. Katharina, die über und über rot geworden war, aus Scham und aus Ärger, fragte spitz zurück, ob es etwa verboten sei, Herrenbesuche zu empfangen, und da sie die aus Freundlichkeit von ihm gebaute Brücke nicht betreten wollte oder gar nicht als solche erkannte, wurde auch Hach etwas spitzer und sagte, sie müsse sich klar darüber werden, daß man hier einen sehr ernsten Fall untersuche, nämlich den Fall Ludwig Götten, der weitverzweigt sei und Polizei und Staatsanwaltschaften schon über ein Jahr beschäftige, und er frage sie hiermit, ob es sich bei dem Herrenbesuch, den sie offenbar nicht ableugne, immer um ein und denselben Herrn gehandelt habe. Und hier nun griff Beizmenne brutal zu und sagte »Sie kennen den Götten also schon zwei Jahre«.

Über diese Feststellung war Katharina so verblüfft, saß sie keine Antwort fand, Beizmenne nur kopfschüttelnd anblickte, und als sie dann ein erstaunlich mildes »Aber nein, nein, ich habe ihn erst gestern kennengelernt« herausstotterte, wirkte das nicht sehr überzeugend. Da sie nun aufgefordert wurde, den Herrenbesuch zu identifizieren, schüttelte sie »fast entsetzt« den Kopf und verweigerte darüber die Aussage. Nun wurde Beizmenne wieder väterlich und redete ihr zu, sagte, es sei doch gar nichts Schlimmes, wenn sie einen Freund habe, der – und hier machte er einen entscheidenden psychologischen Fehler – nicht zudringlich, sondern vielleicht zärtlich zu ihr gewesen sei; sie sei ja geschieden und nicht mehr zur Treue verpflichtet, und es sei nicht einmal – der dritte entscheidende Fehler! – verwerflich, wenn da möglicherweise bei unzudringlichen Zärtlichkeiten gewisse materielle Vorteile heraussprängen. Und damit war Katharina Blum endgültig verbockt. Sie verweigerte weiterhin die Aussage und bestand darauf, in eine Zelle oder nach Hause verbracht zu werden. Zur Verblüffung aller Anwesenden erklärte Beizmenne, milde und müde – es war inzwischen 20.40 Uhr geworden –, er lasse sie durch einen Beamten nach Hause bringen. Dann aber, als sie schon aufgestanden war und ihre Handtasche, den Toilettenbeutel und die Plastiktüte zusammenraffte, fragte er sie ganz plötzlich und hart: »Wie ist er bloß diese Nacht aus dem Haus herausgekommen, Ihr zärtlicher Ludwig? Alle Eingänge, alle Ausgänge waren bewacht – Sie, Sie müssen einen Weg gewußt und ihn ihm gezeigt haben, und ich werde es herausbekommen. Auf Wiedersehen.«

20.

Moeding, Beizmennes Assistent, der Katharina nach Hause fuhr, berichtete später, er sei über den Zustand der jungen Frau sehr beunruhigt und fürchte, daß sie sich etwas antun könne; sie sei völlig zerschmettert, fix und fertig, und habe überraschenderweise ausgerechnet in diesem Zustand Humor gezeigt oder erst entwickelt. Als er mit ihr durch die Stadt gefahren sei, habe er sie scherzhaft gefragt, ob es nicht doch nett wäre, wenn man jetzt unbefangen und ohne Hintergedanken irgendwo einen trinken und zusammen tanzen gehen könne, und sie habe genickt und gesagt, das wäre nicht übel, vielleicht sogar nett, und später vor ihrem Haus, als er ihr angeboten habe, sie nach oben bis vor ihre Türe zu bringen, habe sie sarkastisch gesagt »Ach, besser nicht, ich habe Herrenbesuch genug, wie Sie wissen – aber trotzdem danke«.

Moeding versuchte den ganzen Abend und die halbe Nacht über, Beizmenne davon zu überzeugen, daß man Katharina Blum inhaftieren müsse, zu ihrem eigenen Schutz, und als Beizmenne ihn fragte, ob er etwa verliebt sei, sagte er, nein, er habe sie nur gern, und sie sei gleichaltrig mit ihm, und er glaube nicht an Beizmennes Theorie von einer großen Verschwörung, in die Katharina verwickelt sei.

Was er nicht berichtete und was doch durch Frau Woltersheim Blorna bekannt wurde, waren die beiden Ratschläge, die er Katharina gab, die er immerhin durchs Foyer bis an den Aufzug begleitete, ziemlich heikle Ratschläge, die ihn hätten teuer zu stehen kommen können, und außerdem für ihn und seine Kollegen lebensgefährlich; er sagte nämlich zu Katharina, als sie vor dem Aufzug standen: »Lassen Sie die Finger vom Telefon und schlagen Sie morgen keine Zeitung auf«, wobei nicht klar war, ob er die ZEITUNG meinte oder Zeitungen schlechthin.

21.

Es war etwa gegen 15.30 Uhr des nämlichen Tages (Donnerstag, dem 21. 2. 74), als Blorna sich in seinem Urlaubsort zum erstenmal die Skier anschnallte und zu einer längeren Wanderung aufbrechen wollte. Von diesem Augenblick an war sein Urlaub, auf den er sich so lange gefreut hatte, vermasselt. Schön gewesen war der lange Abendspaziergang am Abend vorher, kurz nach der Ankunft, mit Trude zwei Stunden lang durch den Schnee, dann die Flasche Wein am brennenden Kamin und der tiefe Schlaf bei offenem Fenster; das erste Frühstück im Urlaub, lang hinausgezogen, und noch einmal für ein paar Stunden dick eingewickelt auf der Terrasse im Korbstuhl, und dann eben, genau in dem Augenblick, als er loswandern wollte, war dieser Kerl von der ZEITUNG aufgetaucht und hatte ihn, ohne jede Vorbereitung, auf Katharina angequatscht. Ob er sie eines Verbrechens für fähig halte? »Wieso«, sagte er, »ich bin Anwalt und ich weiß, wer alles eines Verbrechens fähig ist. Welches Verbrechen denn? Katharina? Undenkbar, wie kommen Sie darauf? Woher wissen Sie?« Als er schließlich erfuhr, daß ein lange gesuchter Bandit nachweislich bei Katharina übernachtet habe und sie seit ungefähr 11 Uhr früh streng vernommen werde, hatte er vorgehabt, sofort zurückzufliegen und ihr beizustehen, aber der

Kerl von der ZEITUNG – sah er wirklich so schmierig aus, oder fand er das erst später? – sagte, so schlimm sei es nun wieder nicht, und ob er ihm nicht ein paar Charaktereigenschaften nennen könne. Und als er sich weigerte, meinte der Kerl, das sei aber ein schlechtes Zeichen und könne bös mißdeutet werden, denn Schweigen über ihren Charakter sei in einem solchen Fall, und es handele sich um eine »front-page-story«, eindeutig ein Hinweis auf einen schlechten Charakter, und, schon wütend und sehr gereizt, sagte Blorna: »Katharina ist eine sehr kluge und kühle Person« und ärgerte sich, weil auch das nicht stimmte und nicht andeutungsweise ausdrückte, was er hatte sagen wollen und hätte sagen müssen. Er hatte noch nie mit Zeitungen und schon gar nicht mit der ZEITUNG zu tun gehabt, und als der Kerl in seinem Porsche wieder abfuhr, schnallte Blorna die Skier wieder ab und wußte, daß der Urlaub hinüber war. Er ging zu Trude hinauf, die in Decken gehüllt wohlig, halb schlafend auf dem Balkon in der Sonne lag. Er erzählte es ihr. »Ruf doch mal an«, sagte sie, und er versuchte anzurufen, dreimal, viermal, fünfmal, aber er bekam immer die Auskunft »Teilnehmer meldet sich nicht«. Er versuchte gegen elf abends noch einmal anzurufen, aber wieder meldete sich niemand. Er trank viel und schlief schlecht.

22.

Als er Freitag früh gegen halb zehn mürrisch zum Frühstück erschien, hielt Trude ihm schon die ZEITUNG entgegen. Katharina auf der Titelseite. Riesenfoto, Riesenlettern. RÄUBERLIEBCHEN KATHARINA BLUM VERWEIGERT AUSSAGE ÜBER HERREN-BESUCHE. *Der seit eineinhalb Jahren gesuchte Bandit und Mörder Ludwig Götten hätte gestern verhaftet werden können, hätte nicht seine Geliebte, die Hausangestellte Katharina Blum, seine Spuren verwischt und seine Flucht gedeckt. Die Polizei vermutet, daß die Blum schon seit längerer Zeit in die Verschwörung verwickelt ist. (Weiteres siehe auf der Rückseite unter dem Titel: HERREN-BESUCHE).*
Dort auf der Rückseite las er dann, daß die ZEITUNG aus seiner Äußerung, Katharina sei klug und kühl »eiskalt und berechnend« gemacht hatte und aus seiner generellen Äußerung über Kriminalität, daß sie »durchaus eines Verbrechens fähig sei«.

Der Pfarrer von Gemmelbroich hatte ausgesagt: »Der traue ich alles zu. Der Vater war ein verkappter Kommunist und ihre Mutter, die ich aus Barmherzigkeit eine Zeitlang als Putzhilfe beschäftigte, hat Meßwein gestohlen und in der Sakristei mit ihren Liebhabern Orgien gefeiert.«

»Die Blum erhielt seit zwei Jahren regelmäßig Herrenbesuch. War ihre Wohnung ein Konspirationszentrum, ein Bandentreff, ein Waffenumschlagplatz? Wie kam die erst siebenundzwanzigjährige Hausangestellte an eine Eigentumswohnung im Werte von schätzungsweise 110000 Mark? War sie an der Beute aus den Bankrauben beteiligt? Polizei ermittelt weiter. Staatsanwaltschaft arbeitet auf Hochtouren. Morgen mehr. DIE ZEITUNG BLEIBT WIE IMMER AM BALL! Sämtliche Hintergrundinformationen in der morgigen Wochenendausgabe.«

Am Nachmittag auf dem Flugplatz rekonstruierte Blorna, was dann kurz hintereinander geschehen war.

10.25 Anruf des sehr aufgeregten Lüding, der mich beschwor, sofort zurückzukommen und mit dem ebenfalls sehr aufgeregten Alois in Verbindung zu treten. Alois, angeblich total aufgelöst – was ich bei ihm noch nie erlebt habe, mir deshalb unwahrscheinlich vorkommt –, zur Zeit auf einer Tagung für christliche Unternehmer in Bad Bedelig, wo er das Hauptreferat halten und die Grundsatzdiskussion leiten muß.

10.40 Anruf von Katharina, die mich fragte, ob ich das wirklich so gesagt hätte, wie es in der ZEITUNG stand. Froh darüber, sie aufklären zu können, erklärte ich ihr den Zusammenhang, und sie sagte (aus dem Gedächtnis protokolliert) etwa folgendes: »Ich glaubs Ihnen, ich glaubs, ich weiß ja jetzt, wie diese Schweine arbeiten. Heute morgen haben sie sogar meine schwerkranke Mutter, Brettloh und andere Leute aufgestöbert.« Als ich sie fragte, wo sie sei, sagte sie »Bei Else, und jetzt muß ich wieder zur Vernehmung«.

11.00 Anruf von Alois, den ich wirklich zum erstenmal im Leben – und ich kenne ihn seit 20 Jahren – aufgeregt und in Angst sah. Sagte, ich müsse sofort zurückkommen, um ihn als Mandanten in einer sehr heiklen Sache zu übernehmen. Er müsse jetzt sein Referat halten, dann mit den Unternehmern essen, später die Diskussion leiten und abends an einem zwanglosen Beisammensein teilnehmen, könne aber so zwischen 7 1/2 und 9 1/2 bei uns zu Hause sein, später dann noch zu dem zwanglosen Beisammensein stoßen.

11.30, Trude findet auch, daß wir sofort abreisen und Katharina beistehen müssen. Wie ich ihrem ironischen Lächeln entnehme, hat sie bereits eine (wahrscheinlich, wie immer) zutreffende Theorie über Alois' Schwierigkeiten.

12.15, Buchungen erledigt, gepackt, Rechnung bezahlt. Nach knapp 40stündigem Urlaub im Taxi nach I. Dort auf dem Flugplatz 14.00 bis 15.00 Uhr im Nebel gewartet. Langes Gespräch mit Trude über Katharina, an der ich, wie Trude weiß, sehr, sehr hänge. Sprachen auch darüber, wie wir Katharina ermuntert hatten, nicht so zimperlich zu sein, ihre unglückselige Kindheit und die vermurkste Ehe zu vergessen. Wie wir versucht haben, ihren Stolz, wenn es um Geld geht, zu überwinden und ihr von unserem eigenen Konto einen billigeren Kredit als den der Bank zu geben. Selbst die Erklärung und die Einsicht, daß sie uns, wenn sie uns statt der 14%, die sie zahlen muß, 9% gibt, nicht einmal einen Verlust bereitet, sie aber viel Geld spart, hatte sie nicht überzeugt. Wie wir Katharina zu Dank verpflichtet sind: seit sie ruhig und freundlich, auch planvoll unseren Haushalt leitet, sind nicht nur unsere Unkosten erheblich gesunken, sie hat uns auch beide für unsere berufliche Arbeit so frei gemacht, daß wir es kaum in Geld ausdrücken können. Sie hat uns von dem fünfjährigen Chaos befreit, das unsere Ehe und unsere berufliche Arbeit so belastet hat.

Entschließen uns gegen 16.30 Uhr, da der Nebel sich nicht zu lichten scheint, doch mit dem Zug zu fahren. Auf Rat von Trude rufe ich Alois Sträubleder *nicht* an. Taxi zum Bahnhof, wo wir den 17.45 nach Frankfurt noch erwischen. Elende Fahrt – Übelkeit, Nervosität. Sogar Trude ernst und erregt. Sie wittert großes Unheil. Total erschöpft dann doch in München umgestiegen, wo wir einen Schlafwagen erwischten. Erwarten beide Kummer mit und um Katharina, Ärger mit Lüding und Sträubleder.

23.

Schon am Samstagmorgen am Bahnhof der Stadt, die immer noch saisongemäß fröhlich war, völlig zerknittert und elend, schon auf dem Bahnsteig des Bahnhofs die ZEITUNG und wieder mit Katharina auf dem Titel, diesmal, wie sie in Begleitung eines Kriminalbeamten in Zivil die Treppe des Präsidiums herunterkam. *MÖRDERBRAUT IMMER NOCH VERSTOCKT! KEIN HINWEIS AUF GÖTTENS VERBLEIB! POLIZEI IN GROSSALARM.*

Trude kaufte das Ding, und sie fuhren schweigend im Taxi nach Hause, und als er den Fahrer bezahlte, während Trude die Haustür aufschloß, wies der Fahrer auf die ZEITUNG und sagte: »Sie sind auch drin, ich hab Sie gleich erkannt. Sie sind doch der Anwalt und Arbeitgeber von diesem Nüttchen.« Er gab viel zuviel Trinkgeld, und der Fahrer, dessen Grinsen gar nicht so schadenfroh war wie seine Stimme klang, brachte ihm Koffer, Taschen und Skier noch bis in die Diele und sagte freundlich »Tschüs«.

Trude hatte schon die Kaffeemaschine eingestöpselt und wusch sich im Bad. Die ZEITUNG lag im Salon auf dem Tisch und zwei Telegramme, eins von Lüding, das andere von Sträubleder. Von Lüding: »Sind gelinde gesagt enttäuscht, weil kein Kontakt. Lüding.« Von Sträubleder: »Kann nicht begreifen, daß Du mich so im Stich läßt. Erwarte sofort Anruf. Alois.«

Es war gerade acht Uhr fünfzehn und fast genau die Zeit, zu der ihnen sonst Katharina das Frühstück servierte: hübsch, wie sie immer den Tisch deckte, mit Blumen und frisch gewaschenen Tüchern und Servietten, vielerlei Brot und Honig, Eiern und Kaffee und für Trude Toast und Orangenmarmelade.

Sogar Trude war fast sentimental, als sie die Kaffeemaschine, ein bißchen Knäckebrot, Honig und Butter brachte. »Es wird nie mehr so sein, nie mehr. Sie machen das Mädchen fertig. Wenn nicht die Polizei, dann die ZEITUNG, und wenn die ZEITUNG die Lust an ihr verliert, dann machens die Leute. Komm, lies das jetzt erst mal und dann erst ruf die Herrenbesucher an.« Er las:

»Der ZEITUNG, stets bemüht, Sie umfassend zu informieren, ist es gelungen, weitere Aussagen zu sammeln, die den Charakter der Blum und ihre undurchsichtige Vergangenheit beleuchten. Es gelang ZEITUNGS-Reportern, die schwerkranke Mutter der Blum ausfindig zu machen. Sie beklagte sich zunächst darüber, daß ihre Tochter sie seit langer Zeit nicht mehr besucht hat. Dann, mit den unumstößlichen Fakten konfrontiert, sagte sie: ›So mußte es ja kommen, so mußte *es ja enden.‹ Der ehemalige Ehemann, der biedere Textilarbeiter Wilhelm Brettloh, von dem die Blum wegen böswilligen Verlassens schuldig geschieden ist, gab der ZEITUNG noch bereitwilliger Auskunft. ›Jetzt‹, sagte er, die Tränen mühsam zurückhaltend, ›weiß ich endlich, warum sie mir tritschen gegangen ist. Warum sie mich sitzengelassen hat. DAS wars also, was da lief. Nun wird mir alles klar. Unser bescheidenes Glück genügte ihr nicht. Sie wollte hoch hinaus, und wie soll schon ein redlicher, bescheidener Arbeiter je zu einem Porsche kommen. Vielleicht (fügte er weise hinzu) können Sie den Lesern der ZEITUNG meinen Rat übermitteln: So müssen falsche Vorstellungen von Sozialismus ja enden. Ich frage Sie und Ihre Leser: Wie kommt ein Dienstmädchen an solche Reichtümer. Ehrlich erworben kann sies ja nicht haben. Jetzt weiß ich, warum ich ihre Radikalität und Kirchenfeindlichkeit immer gefürchtet habe, und ich segne den Entschluß unseres Herrgotts, uns keine Kinder zu schenken. Und wenn ich dann noch erfahre, daß ihr die Zärtlichkeiten eines Mörders und Räubers lieber waren als meine unkomplizierte Zuneigung, dann ist auch dieses Kapitel geklärt. Und dennoch* möchte ich ihr zurufen: *meine kleine Katharina, wärst du doch bei mir geblieben. Auch wir hätten es im Laufe der Jahre zu Eigentum und einem Kleinwagen gebracht, einen Porsche hätte ich dir wohl nie bieten können, nur ein bescheidenes Glück, wie es ein redlicher Arbeitsmann zu bieten hat, der der Gewerkschaft mißtraut. Ach, Katharina.«*

Unter der Überschrift: »Rentnerehepaar ist entsetzt, aber nicht überrascht«, fand Blorna noch auf der letzten Seite eine rot angestrichene Spalte:

Der pensionierte Studiendirektor Dr. Berthold Hiepertz und Frau Erna Hiepertz zeigten sich entsetzt über die Aktivitäten der Blum, aber nicht »sonderlich überrascht«. In Lemgo, wo eine Mitarbeiterin der ZEITUNG sie bei ihrer verheirateten Tochter, die dort ein Sanatorium leitet, aufsuchte, äußerte der Altphilologe und Historiker Hiepertz, bei dem die Blum seit 3 Jahren arbeitet: »Eine in jeder Beziehung radikale Person, die uns geschickt getäuscht hat.«

(Hiepertz, mit dem Blorna später telefonierte, schwor, folgendes gesagt zu haben: »Wenn Katharina radikal ist, dann ist sie radikal hilfsbereit, planvoll und intelligent – ich müßte mich schon sehr in ihr getäuscht haben, und ich habe eine vierzigjährige Erfahrung als Pädagoge hinter mir und habe mich selten getäuscht.«)

Fortsetzung von Seite 1;

»Der völlig gebrochene ehemalige Ehemann der Blum, den die ZEITUNG anläßlich einer Probe des Trommler- und Pfeiferkorps Gemmelsbroich aufsuchte, wandte sich ab, um seine Tränen zu verbergen. Auch die übrigen Vereinsmitglieder wandten sich, wie Altbauer Meffels es ausdrückte, mit Grausen von Katharina ab, die immer so seltsam gewesen sei und immer so prüde getan habe. Die harmlosen Karnevalsfreuden eines redlichen Arbeiters jedenfalls dürften getrübt sein.«

Schließlich ein Foto von Blorna und Trude, im Garten am Swimming-pool. Unterschrift: »Welche Rolle spielt die Frau, die einmal als die ›rote Trude‹ bekannt war, und ihr Mann, der sich gelegentlich als ›links‹ bezeichnet. Hochbezahlter Industrieanwalt Dr. Blorna mit Frau Trude vor dem Swimming-pool der Luxusvilla.«

24

Hier muß eine Art Rückstau vorgenommen
werden, etwas, das man im Film und in der Li-
teratur Rückblende nennt: vom Samstagmorgen, an dem das Ehepaar Blorna zerknittert
und ziemlich verzweifelt aus dem Urlaub zu-
rückkam, auf den Freitagmorgen, an dem Katharina erneut zum Verhör aufs Präsidium geholt wurde; diesmal durch Frau Pletzer und
einen älteren Beamten, der nur leicht bewaff-
net war, und nicht aus ihrer eigenen Wohnung
wurde sie geholt, sondern aus der Wohnung
der Frau Woltersheim, zu der Katharina morgens gegen fünf Uhr, diesmal mit ihrem Auto,
gefahren war. Die Beamtin machte kein Hehl
daraus, daß ihr bekannt war, sie würde Katharina nicht zu Hause, sondern bei der Woltersheim finden. (Gerechterweise sollte man nicht
vergessen, die Opfer und Strapazen des Ehe-
paars Blorna noch einmal ins Gedächtnis zu
rufen: Abbruch des Urlaubs, Taxifahrt zum
Flugplatz in I. Warten im Nebel. Taxi zum
Bahnhof. Zug nach Frankfurt, dann aber Umsteigen in München. Im Schlafwagen elend ge-
schüttelt, und am frühen Morgen, soeben zu
Hause angekommen, schon mit der ZEITUNG

konfrontiert! Später – zu spät natürlich – bereute Blorna, daß er nicht, statt Katharina, von der er ja durch den ZEITUNGS-Kerl wußte, daß sie vernommen wurde, Hach angerufen hatte.)

Was allen, die an der zweiten Vernehmung von Katharina am Freitag teilnahmen – wiederum Moeding, die Pletzer, die Staatsanwälte Dr. Korten und Hach, die Protokollführerin Anna Lockster, die die sprachliche Sensibilität der Blum als lästig empfand und als »affig« bezeichnete –, was allen auffiel, war Beizmennes geradezu strahlende Laune. Er betrat händereibend den Verhandlungsraum, behandelte Katharina geradezu zuvorkommend, entschuldigte sich für »gewisse Grobheiten«, die nicht seinem Amt, sondern seiner Person entsprächen, er sei nun einmal ein etwas ungeschliffener Kerl, und nahm zunächst die inzwischen erstellte Liste der beschlagnahmten Gegenstände vor; es handelte sich um:

1. Ein kleines, abgenutztes grünes Notizbuch kleinen Formats, das ausschließlich Telefonnummern enthielt, die inzwischen überprüft worden waren und keinerlei Verfänglichkeiten ergeben hatten. Offenbar benutzte Katharina Blum dieses Notizbuch schon seit fast zehn

Jahren. Ein Schriftsachverständiger, der nach schriftlichen Spuren von Götten gesucht hatte (Götten war u. a. Bundeswehrdeserteur und hatte in einem Büro gearbeitet, also viele handschriftliche Spuren hinterlassen), hatte die Entwicklung ihrer Handschrift als gerade schulbeispielhaft bezeichnet. Das sechzehnjährige Mädchen, das die Telefonnummer des Metzgers Gerbers notiert hatte, die Siebzehnjährige, die die Nummer des Arztes Dr. Kluthen, die Zwanzigjährige bei Dr. Fehnern – und später die Nummern und Adressen von Traiteuren, Restaurateuren, Kollegen.

2. Kontoauszüge der Sparkasse, auf denen jede Um- oder Abbuchung durch handschriftliche Randnotizen der Blum genau identifiziert waren. Einzahlungen, Abbuchungen – alles korrekt und keine der bewegten Summen verdächtig. Dasselbe traf auf ihre Buchführung zu und auf Notizen und Mitteilungen, die in einem kleinen Hefter enthalten waren, wo sie den Stand ihrer Verpflichtungen gegenüber der Firma »Haftex« gebucht hatte, von der sie ihre Eigentumswohnung in »Elegant am Strom wohnen« erworben hatte. Auch ihre Steuererklärungen, Steuerbescheide, Steuerzahlungen waren genauestens geprüft und durch einen

Bilanzfachmann durchgesehen worden, der nirgendwo eine »versteckte größere Summe« hatte ausfindig machen können. Beizmenne hatte Wert darauf gelegt, ihre finanziellen Transaktionen besonders im Zeitraum der letzten zwei Jahre, die er scherzhaft als »Herrenbesuchszeit« bezeichnete, zu prüfen. Nichts. Es ergab sich immerhin, daß Katharina ihrer Mutter monatlich 150 DM überwies, daß sie das Grab ihres Vaters in Gemmelsbroich durch ein Abonnement der Firma Kolter in Kuir pflegen ließ. Ihre Möbelanschaffungen, Hausgeräte, Kleider, Unterwäsche, Benzinrechnungen, alles geprüft und nirgendwo eine Lücke entdeckt. Der Buchhaltungsfachmann hatte, als er Beizmenne die Akten zurückgab, gesagt: »Mensch, wenn die freikommt und sucht mal 'ne Stelle – gib mir 'nen Tip. So was sucht man ständig und findet es nicht.« Auch die Telefonrechnungen der Blum ergaben keine Verdachtsmomente. Offenbar hatte sie Ferngespräche kaum geführt.

Bemerkt worden war auch, daß Katharina Blum ihrem Bruder Kurt, der zur Zeit wegen Einbruchdiebstahls einsaß, gelegentlich kleinere Summen zwischen 15 und 30 DM zur Aufbesserung seines Taschengeldes überwies.

Kirchensteuer zahlte die Blum nicht. Sie war, wie aus ihren Finanzakten ersichtlich, schon als Neunzehnjährige im Jahre 1966 aus der kath. Kirche ausgetreten.

3. Ein weiteres kleines Notizbuch mit verschiedenen Eintragungen, hauptsächlich rechnerischer Art, enthielt vier Rubriken: Eine für den Haushalt Blorna mit Ab- und Zusammenrechnungen über Lebensmitteleinkäufe und Auslagen für Putzmittel, Reinigungsanstalten, Wäschereien. Dabei wurde festgestellt, daß Katharina die Wäsche eigenhändig bügelte.

Die zweite für den Haushalt Hiepertz mit entsprechenden Angaben und Berechnungen.

Eine weitere für den eigenen Haushalt der Blum, den diese offenbar mit geringen Mitteln bestritt; es fanden sich Monate, in denen sie etwa für Lebensmittel kaum 30–50 DM ausgegeben hatte. Sie schien allerdings – Fernsehen hatte sie nicht – öfters ins Kino zu gehen und sich hin und wieder Schokolade, sogar Pralinen zu kaufen.

Die vierte Rubrik enthielt Einnahmen und Ausgaben, die mit den Extrabeschäftigungen der Blum zusammenhingen, betrafen Anschaffungs- und Reinigungskosten für Berufskleidung, anteilige Unkosten für den Volkswagen. Hier – bei den Benzinrechnungen – hakte Beizmenne mit einer Freundlichkeit, die alle überraschte, ein und fragte sie, woher die relativ hohen Benzinkosten kämen, die übrigens mit der auffallend hohen Ziffer zusammenhingen, die ihr Kilometerzähler aufweise. Man habe festgestellt, daß die Entfernung zu Blorna hin und zurück etwa 6, die Entfernung zu Hiepertz hin und zurück etwa 8, zu Frau Woltersheim etwa 4 km betrage, und wenn man im Durchschnitt, was großzügig berechnet sei, eine Extrabeschäftigung wöchentlich veranschlage und dafür, was ebenfalls großzügig sei, 20 km veranschlage, was umgelegt auf die Wochentage etwa 3 km ausmache, so käme man auf etwa 21–22 km täglich. Dabei sei zu bedenken, daß sie ja die Woltersheim nicht täglich besuche, aber man wolle darüber hinwegsehen. Man käme also auf etwa 8 000 km jährlich, sie – Katharina Blum – habe aber, wie aus der schriftlichen Abmachung mit dem Koch Klormer ersichtlich sei, den VW vor sechs Jahren bei einem Kilometerstand von 56 000 übernommen. Rechne man nun 2 × 8 000 hinzu, so müsse ihr Kilometerstand jetzt etwa bei 72 000 liegen, in Wirklichkeit aber betrage er fast 102 000 km. Nun sei bekannt, daß sie zwar hin und wieder ihre Mutter in Gemmelsbroich und später im Sanatorium in Kuir-Hochsackel besucht habe, wohl auch manchmal ihren Bruder im Gefängnis – aber die Entfernung Gemmelsbroich bzw. Kuir-Hochsackel betrage hin und zurück etwa 50 km und zu ihrem Bruder etwa 60 km, und wenn man nun monatlich je einen oder, großzügig, monatlich zwei Besuche rechne – und ihr Bruder sitze ja erst eineinhalb Jahre, er habe vorher bei der Mutter in Gemmelsbroich gewohnt, nun, so käme man – immer auf sechs Jahre berechnet – auf weitere 4 000–5 000 km und es blieben da noch 25 000 km ungeklärt bzw. ungedeckt. Wo sie denn so oft hingefahren sei. Ob sie – er wolle nun wirklich nicht wieder mit groben Andeutungen kommen, aber sie müsse seine Frage verstehen – dann vielleicht jemanden oder mehrere irgendwo – und wo – getroffen habe?

Fasziniert, auch entsetzt hörte nicht nur Katharina Blum, auch alle anderen Anwesenden dieser mit sanfter Stimme von Beizmenne vorgebrachten Berechnung zu, und es scheint so, als habe die Blum, während Beizmenne ihr das alles vorrechnete und vorhielt, nicht einmal

Ärger empfunden, sondern lediglich eine mit Entsetzen und Faszination gemischte Spannung, weil sie, während er sprach, nicht etwa nach einer Erklärung für die 25 000 km suchte, sondern sich selbst darüber klarzuwerden versuchte, wo und wann sie warum wohin gefahren war. Sie war schon, als sie sich zur Vernehmung hinsetzte, überraschend wenig spröde, fast »weich« gewesen, sogar ängstlich hatte sie gewirkt, hatte Tee angenommen und nicht einmal darauf bestanden, ihn selbst zu bezahlen. Und jetzt, als Beizmenne mit seinen Fragen und Berechnungen fertig war, herrschte – nach der Aussage mehrerer, *fast* aller anwesenden Personen – Totenstille, als ahne man, daß hier jemand auf Grund einer Feststellung, die – wären nicht die Benzinrechnungen gewesen – leicht hätte übersehen werden können, tatsächlich in ein intimes Geheimnis der Blum, deren Leben sich bisher so übersichtlich dargestellt hatte, eingedrungen sei.

»Ja«, sagte Katharina Blum, und von hier an wurde ihre Aussage protokolliert und liegt als solche vor, »das stimmt, das sind pro Tag – ich habe das jetzt rasch im Kopf nachgerechnet, über 30 Kilometer. Ich habe nie darüber nachgedacht, und auch die Unkosten nie bedacht, aber ich bin manchmal einfach losgefahren, einfach los und drauflos, ohne Ziel, d. h. – irgendwie ergab sich ein Ziel, d. h., ich fuhr in eine Richtung, die sich einfach so ergab, nach Süden Richtung Koblenz, oder nach Westen Richtung Aachen oder runter zum Niederrhein. Nicht täglich. Ich kann nicht sagen wie oft und in welchen Abständen. Meistens, wenn es regnete und wenn ich Feierabend hatte und allein war. Nein, ich korrigiere meine Aussage: immer nur, wenn es regnete, bin ich losgefahren. Ich weiß nicht genau warum. Sie müssen wissen, daß ich manchmal, wenn ich nicht zu Hiepertz mußte und keine Extrabeschäftigung fällig war, schon um fünf Uhr zu Hause war und nichts zu tun hatte. Ich wollte doch nicht immer zu Else, besonders nicht, seitdem sie mit Konrad so befreundet ist, und auch allein ins Kino gehen, ist für eine alleinstehende Frau nicht immer so risikolos. Manchmal habe ich mich auch in eine Kirche gesetzt, nicht aus religiösen Gründen, sondern weil man da Ruhe hat, aber auch in Kirchen werden Sie neuerdings angequatscht, und nicht nur von Laien. Ich habe natürlich ein paar Freunde: Werner Klormer zum Beispiel, von dem ich den Volkswagen gekauft habe, und seine Frau, und auch andere Angestellte bei Kloft, aber es ist ziemlich schwierig und meistens peinlich, wenn man allein kommt und nicht unbedingt, oder besser: nicht bedingungslos jeden Anschluß wahrnimmt oder sucht. Und dann bin ich eben einfach ins Auto gestiegen, habe mir das Radio angemacht und bin losgefahren, immer über Landstraßen, immer im Regen, und am liebsten waren mir die Landstraßen mit Bäumen – manchmal bin ich bis Holland oder Belgien durch, habe da Kaffee oder auch Bier getrunken und bin wieder zurück. Ja. Jetzt, wo Sie mich fragen, wird es mir erst klar. So – wenn Sie mich fragen, wie oft – ich würde sagen: zweimal, dreimal im Monat – manchmal auch seltener, manchmal wohl öfter und meistens stundenlang, bis ich um neun oder zehn, manchmal auch erst gegen elf todmüde wieder nach Hause kam. Es war wohl auch Angst: ich kenne so viele alleinstehende Frauen, die sich abends allein vor dem Fernseher betrinken.«

Das milde Lächeln, mit dem Beizmenne diese Erklärung kommentarlos zur Kenntnis nahm, ließ keinen Schluß auf seine Gedanken zu. Er nickte nur, und wenn er sich wieder einmal die Hände rieb, dann wohl, weil die Auskunft von

Katharina Blum eine seiner Theorien bestätigt hatte. Es blieb eine Weile sehr still, als wären die Anwesenden überrascht oder peinlich berührt; es schien, als habe die Blum zum erstenmal etwas aus ihrer Intimsphäre preisgegeben. So wurden denn auch die Erläuterungen zu den weiteren beschlagnahmten Gegenständen rasch erledigt.

4. Ein Fotoalbum enthielt nur Fotografien von Personen, die leicht zu identifizieren waren. Den Vater von Katharina Blum, der kränklich und verbittert wirkte und weitaus älter aussah, als er gewesen sein konnte. Ihre Mutter, von der sich herausstellte, daß sie krebskrank war und im Sterben lag. Ihr Bruder. Sie selbst, Katharina mit vier, mit sechs Jahren, als Erstkommunikantin mit zehn, als Jungverheiratete mit zwanzig; ihr Mann, der Pfarrer von Gemmelsbroich, Nachbarn, Verwandte, verschiedene Fotos von Else Woltersheim, dann ein zunächst nicht identifizierbarer älterer Herr, der recht munter wirkte und von dem sich herausstellte, daß es Dr. Fehnern, der straffällig gewordene Wirtschaftsprüfer, war. Kein Foto irgendeiner Person, die in Zusammenhang mit Beizmennes Theorien gebracht werden konnte.

5. Ein Reisepaß auf den Namen Katharina Brettloh geb. Blum. Im Zusammenhang mit dem Paß wurden Fragen nach Reisen gestellt, und es erwies sich, daß Katharina noch nie »richtig verreist« gewesen war und bis auf einige Tage, an denen sie krank gewesen war, immer gearbeitet hatte. Sie hatte sich ihr Urlaubsgeld bei Fehnern und Blornas zwar auszahlen lassen, aber entweder weitergearbeitet oder Aushilfsstellen angenommen.

6. Eine alte Pralinenschachtel. Inhalt: einige Briefe, kaum ein Dutzend von ihrer Mutter, ihrem Bruder, ihrem Mann, Frau Woltersheim. Kein Brief enthielt irgendeinen Hinweis im Zusammenhang mit dem gegen sie bestehenden Verdacht. Außerdem enthielt die Pralinenschachtel noch ein paar lose Fotos von ihrem Vater als Gefreiten der Deutschen Wehrmacht, ihrem Mann in der Uniform des Trommlerkorps, ein paar abgerissene Kalenderblätter mit Sprichwörtern, eine ziemlich umfangreiche, handgeschriebene Sammlung eigener Rezepte und eine Broschüre »Über die Verwendung von Sherry in Soßen«.

7. Einen Aktenordner mit Zeugnissen, Diplomen, Urkunden, den gesamten Scheidungsakten und den notariellen Urkunden, die ihre Eigentumswohnung betrafen.

8. Drei Schlüsselbünde, die inzwischen überprüft worden waren. Es handelte sich um Haus- und Schrankschlüssel zu ihrer eigenen Wohnung, zu Blornas und Hiepertz' Wohnung.

Es wurde festgestellt und protokollarisch festgehalten, daß unter den oben aufgeführten Gegenständen kein verdächtiger Anhaltspunkt gefunden worden sei; die Erklärung von Katharina Blum über ihren Benzinverbrauch und ihre Fahrtkilometer wurde kommentarlos akzeptiert.

Erst in diesem Augenblick zog Beizmenne einen mit Brillanten besetzten Rubinring aus der Tasche, den er offenbar lose dort aufbewahrt hatte, denn er putzte ihn am Rockärmel blank, bevor er ihn Katharina hinhielt. »Ist Ihnen dieser Ring bekannt?«

»Ja«, sagte sie ohne Zögern und Verlegenheit.

»Gehört er Ihnen?«

»Ja.«

»Wissen Sie, was er wert ist?«

»Nicht genau. Viel kann es nicht sein.«

»Nun«, sagte Beizmenne freundlich, »wir haben ihn schätzen lassen, und vorsichtshalber nicht nur von unserem Fachmann hier im Haus, zusätzlich noch, um Ihnen auf keinen

Fall unrecht zu tun, von einem Juwelier hier in der Stadt. Dieser Ring ist achttausend bis zehntausend Mark wert. Das wußten Sie nicht? Ich glaube es Ihnen sogar, und doch müßten Sie mir erklären, woher Sie ihn haben. Im Zusammenhang mit einer Ermittlung, in der es sich um einen des Raubes überführten Verbrecher handelt, der dringend mordverdächtig ist, ist ein solcher Ring keine Kleinigkeit, und auch nichts Privates, Intimes wie Hunderte Kilometer, stundenlanges Autofahren im Regen. Von wem stammt nun der Ring, von Götten oder dem Herrenbesuch, oder war Götten nicht doch der Herrenbesuch, und wenn nicht – wo sind Sie denn, als Damenbesuch, wenn ich es scherzhaft so nennen darf – hingefahren im Regen, Tausende Kilometer? Es wäre eine Kleinigkeit für uns, festzustellen, von welchem Juwelier der Ring stammt, ob gekauft oder gestohlen, aber ich möchte Ihnen eine Chance geben – ich halte Sie nämlich nicht für unmittelbar kriminell, sondern nur für naiv und ein bißchen zu romantisch. Wie wollen Sie mir – uns – erklären, daß Sie, die Sie als zimperlich, fast prüde bekannt sind, die Sie von Ihren Bekannten und Freunden den Spitznamen ›Nonne‹ erhalten haben, die Diskothe-

71

ken meidet, weil es dort zu wüst zugeht – sich von ihrem Mann scheiden läßt, weil er ›zudringlich‹ geworden ist – wie wollen Sie uns dann erklären, daß Sie – angeblich – diesen Götten erst vorgestern kennengelernt haben und noch am gleichen Tage – man könnte sagen stehenden Fußes – ihn mit in Ihre Wohnung genommen haben und dort sehr rasch – na sagen wir – intim mit ihm geworden sind. Wie nennen Sie das? Liebe auf den ersten Blick? Verliebtheit? Zärtlichkeit? Wollen Sie nicht einsehen, daß es da einige Ungereimtheiten gibt, die den Verdacht nicht so ganz auslöschen? Und da ist noch etwas.« Jetzt griff er in seine Rocktasche und zog einen größeren weißen Briefumschlag aus der Tasche, dem er einen ziemlich extravaganten, veilchenfarbenen Briefumschlag normalen Formats entnahm, der cremefarben gefüttert war. »Dieser leere Briefumschlag, den wir zusammen mit dem Ring in Ihrer Nachttischschublade gefunden haben, ist am 12. 2. 74 um 18.00 Uhr bei der Bahnpost in Düsseldorf gestempelt worden – und an Sie adressiert. Mein Gott«, sagte Beizmenne abschließend, »wenn Sie einen Freund gehabt haben, der Sie hin und wieder besuchte und zu dem Sie manchmal gefahren sind, der Ihnen Briefe schrieb und manchmal etwas schenkte – sagen Sie es uns doch, es ist ja kein Verbrechen. Es belastet Sie ja nur, wenn ein Zusammenhang mit Götten besteht.«

Es war allen Anwesenden klar, daß Katharina den Ring erkannte, dessen Wert aber nicht gewußt hatte; daß hier wieder das heikle Thema Herrenbesuch aufkam. Schämte sie sich etwa nur, weil sie ihren Ruf gefährdet sah, oder sah sie jemand anderen gefährdet, den sie nicht in die Sache hineinziehen wollte? Sie errötete diesmal nur leicht. Gab sie deshalb nicht an, den Ring von Götten bekommen zu haben, weil sie wußte, daß es ziemlich unglaubwürdig gewesen wäre, aus Götten einen Kavalier dieses Schlags zu machen? Sie blieb ruhig, fast »zahm«, als sie zu Protokoll gab: »Es trifft zu, daß ich beim Hausball der Frau Woltersheim ausschließlich und innig mit Ludwig Götten getanzt habe, den ich zum erstenmal in meinem Leben sah und dessen Nachnamen ich erst bei der polizeilichen Vernehmung am Donnerstagmorgen erfuhr. Ich empfand große Zärtlichkeit für ihn und er für mich. Gegen zehn Uhr habe ich die Wohnung von Frau Woltersheim verlassen und bin mit Ludwig Götten in meine Wohnung gefahren.

Über die Herkunft des Schmuckstückes kann ich, ich korrigiere mich: will ich keine Auskunft geben. Da es nicht auf unrechtmäßige Weise in meinen Besitz gelangt ist, fühle ich mich nicht verpflichtet, seine Herkunft zu erklären. Der Absender des mir vorgehaltenen Briefumschlages ist mir unbekannt. Es muß sich um eine der üblichen Werbesendungen handeln. Ich bin in gastronomischen Fachkreisen inzwischen einigermaßen bekannt. Für die Tatsache, daß eine Reklamesendung ohne Absender in einem einigermaßen kostspieligen und aufwendig wattierten Briefumschlag versendet wird, habe ich keine Erklärung. Ich möchte nur drauf hinweisen, daß gewisse gastronomische Firmen sich gern den Anschein von Vornehmheit geben.«

Als sie dann gefragt wurde, warum sie ausgerechnet an diesem Tag, wo sie doch offensichtlich und zugegebenermaßen so gern Auto fahre, an diesem Tag mit der Straßenbahn zu Frau Woltersheim gefahren sei, sagte Katharina Blum, sie habe nicht gewußt, ob sie viel oder wenig Alkohol trinken würde, und es sei ihr sicherer erschienen, nicht mit ihrem Wagen zu fahren. Gefragt, ob sie viel trinke oder gar gelegentlich betrunken sei, sagte sie, nein, sie trinke wenig, und betrunken sei sie nie gewesen, nur einmal sei sie – und zwar in Gegenwart und auf Veranlassung ihres Mannes bei einem geselligen Abend des Trommlerkorps – betrunken *gemacht* worden, und zwar mit einem Aniszeug, das wie Limonade schmeckte. Man habe ihr später gesagt, dieses ziemlich teuere Zeug sei ein beliebtes Mittel, Leute betrunken zu machen. Als ihr vorgehalten wurde, diese Erklärung – sie habe gefürchtet, eventuell zuviel zu trinken – sei nicht stichhaltig, da sie nie viel trinke, und ob ihr nicht einleuchte, daß es so aussehen müsse, als sei sie mit Götten regelrecht verabredet gewesen, habe also gewußt, daß sie ihr Auto nicht brauchen, sondern in seinem Auto heimfahren werde, schüttelte sie den Kopf und sagte, es sei genauso, wie sie angegeben habe. Es sei ihr durchaus danach zumute gewesen, sich einmal einen anzutrinken, aber sie habe es dann doch nicht getan.

Ein weiterer Punkt mußte vor der Mittagspause noch geklärt werden: Warum sie weder ein Spar- noch ein Scheckbuch habe. Ob es nicht doch noch irgendwo ein Konto gebe. Nein, sie habe kein weiteres Konto als das bei der Sparkasse. Jede, auch die kleinste ihr zur

Verfügung stehende Summe benutze sie sofort, um ihren hochverzinslichen Kredit abzuzahlen; die Kreditzinsen wären manchmal fast doppelt so hoch wie die Sparzinsen, und auf einem Girokonto gäbe es fast gar keine Zinsen. Außerdem sei ihr der Scheckverkehr zu teuer und umständlich. Laufende Kosten, ihren Haushalt und das Auto, bezahle sie bar.

25.

Gewisse Stauungen, die man auch Spannungen nennen kann, sind ja unvermeidlich, weil nicht alle Quellen mit einem Griff und auf einmal um- und abgelenkt werden können, so daß das trockengelegte Gelände sofort sichtbar wird. Unnötige Spannungen aber sollen vermieden werden, und es soll hier erklärt werden, warum an diesem Freitagmorgen sowohl Beizmenne wie Katharina so milde, fast weich oder gar zahm waren, Katharina sogar ängstlich oder eingeschüchtert. Zwar hatte die ZEITUNG, die eine freundliche Nachbarin unter Frau Woltersheims Haustür geschoben hatte, bei beiden Frauen Wut, Ärger, Empörung, Scham und Angst bewirkt, doch hatte das sofortige Telefongespräch mit Blorna Milderung

76

geschaffen, und da kurz nachdem die beiden entsetzten Frauen die ZEITUNG überflogen und Katharina mit Blorna telefoniert hatte, schon Frau Pletzer erschienen war, die offen zugab, daß man Katharinas Wohnung natürlich überwache und aus diesem Grund wisse, daß sie hier zu finden sei, und nun müsse man leider – und leider auch Frau Woltersheim – zur Vernehmung, da war der offenen und netten Art von Frau Pletzer wegen der Schrecken über die ZEITUNG zunächst verdrängt und für Katharina ein nächtliches Erlebnis wieder in den Vordergrund gerückt, das sie als beglückend empfunden hatte: Ludwig hatte sie angerufen und zwar von *dort*! Er war so lieb gewesen, und deshalb hatte sie ihm gar nichts von dem Ärger erzählt, weil er nicht das Gefühl haben sollte, er sei die Ursache irgendeines Kummers. Sie hatten auch nicht über Liebe gesprochen, das hatte sie ihm ausdrücklich – schon als sie mit ihm im Auto nach Hause fuhr – verboten. Nein, nein, es ging ihr gut, natürlich wäre sie lieber bei ihm und für immer oder wenigstens für lange mit ihm zusammen, am liebsten natürlich ewig, und sie werde sich Karneval über erholen und nie, nie wieder mit einem andern Mann als ihm tanzen und nie mehr anders als südamerikanisch, und nur mit ihm, und wie es denn dort sei. Er sei sehr gut untergebracht und sehr gut versorgt, und da sie ihm verboten habe, von Liebe zu sprechen, möchte er doch sagen, daß er sie sehr sehr sehr gern habe, und eines Tages – wann, das wisse er noch nicht, es könne Monate, aber auch ein Jahr oder zwei dauern – werde er sie holen, wohin, das wisse er noch nicht. Und so weiter, wie Leute, die große Zärtlichkeit füreinander haben, eben miteinander am Telefon plaudern. Keine Erwähnung von Intimitäten und schon gar kein Wort über jenen Vorgang, den Beizmenne (oder, was immer wahrscheinlicher scheint: Hach) so grob definiert hatte. Und so weiter. Was eben diese Art von Zärtlichkeitsempfinder sich zu sagen haben. Ziemlich lange. Zehn Minuten. Vielleicht sogar mehr, sagte Katharina zu Else. Vielleicht kann man, was das konkrete Vokabularium der beiden Zärtlichen anbetrifft, auch auf gewisse moderne Filme verweisen, wo am Telefon – oft über weite Entfernung hin – ziemlich viel und viel *scheinbar* belanglos geplaudert wird.

Dieses Telefongespräch, das Katharina mit Ludwig führte, war auch der Anlaß für Beizmennes Entspanntheit, Freundlichkeit und

Milde, und obwohl er ahnte, warum Katharina alle spröde Bockigkeit abgelegt hatte – konnte sie natürlich nicht ahnen, daß er aus dem gleichen Anlaß, wenn auch nicht aus dem gleichen Grund, so fröhlich war. (Man sollte diesen merk- und denkwürdigen Vorgang zum Anlaß nehmen, öfter zu telefonieren, notfalls auch ohne zärtliches Geflüster, denn man weiß ja nie, *wem* man wirklich mit so einem Telefongespräch eine Freude macht.) Beizmenne kannte aber auch die Ursache für Katharinas Ängstlichkeit, denn er hatte auch Kenntnis von einem weiteren anonymen Anruf.

Es wird gebeten, die vertraulichen Mitteilungen, die dieses Kapitel enthält, nicht nach Quellen abzuforschen, es handelt sich lediglich um den Durchstich eines Nebenpfützenstaus, dessen dilettantisch errichtete Staumauer durchstochen, zum Abfluß bzw. zu Fluß gebracht wird, bevor die schwache Staumauer bricht und alle Spannung verschwendet ist.

26.

Damit keine Mißverständnisse entstehen, muß auch festgestellt werden, daß sowohl Else Woltersheim wie Blorna natürlich wußten, daß Katharina sich regelrecht strafbar gemacht hatte, indem sie Götten half, unbemerkt aus ihrer Wohnung zu verschwinden; sie mußte ja auch, als sie seine Flucht ermöglicht hatte, Mitwisserin gewisser Straftaten sein, wenn auch in diesem Fall nicht der wahren! Else Woltersheim sagte es ihr auf den Kopf zu, kurz bevor Frau Pletzer beide zum Verhör abholte. Blorna nahm die nächste Gelegenheit wahr, Katharina auf die Strafbarkeit ihres Tuns aufmerksam zu machen. Es soll auch niemandem vorenthalten werden, was Katharina zu Frau Woltersheim über Götten sagte: »Mein Gott, er war es eben, der da kommen soll, und ich hätte ihn geheiratet und Kinder mit ihm gehabt – und wenn ich hätte warten müssen, jahrelang, bis er aus dem Kittchen wieder raus war.«

27.

Die Vernehmung von Katharina Blum konnte damit als abgeschlossen gelten, sie mußte sich nur bereit halten, um möglicherweise mit den Aussagen der übrigen Teilnehmer an der Woltersheimschen Tanzparty konfrontiert zu werden. Es sollte nämlich nun eine Frage geklärt werden, die im Zusammenhang mit Beizmennes Verabredungs- und Verschwörungstheorie wichtig genug war: Wie war Ludwig Götten zum Hausball bei Frau Woltersheim gekommen?

Es wurde Katharina Blum anheimgestellt, nach Hause zu gehen oder an einem ihr genehmen Ort zu warten, aber sie lehnte es ab, nach Hause zu gehen, die Wohnung sagte sie, sei ihr endgültig verleidet, sie zöge es vor, in einer Zelle zu warten, bis Frau Woltersheim vernommen worden sei, und mit dieser dann nach Hause zu gehen. In diesem Augenblick erst zog Katharina die beiden Ausgaben der ZEITUNG aus der Tasche und fragte, ob der Staat – so drückte sie es aus – nichts tun könne, um sie gegen diesen Schmutz zu schützen und ihre verlorene Ehre wiederherzustellen. Sie wisse inzwischen sehr wohl, daß ihre Vernehmung durchaus gerechtfertigt sei, wenn ihr auch dieses »bis-ins-letzte-Lebensdetail-gehen« nicht einleuchte, aber es sei ihr unbegreiflich, wie Einzelheiten aus der Vernehmung – etwa der Herrenbesuch – hätten zur Kenntnis der ZEITUNG gelangen können, und alle diese erlogenen und erschwindelten Aussagen. Hier griff Staatsanwalt Hach ein und sagte, es habe natürlich angesichts des riesigen öffentlichen Interesses am Fall Götten eine Presseverlautbarung herausgegeben werden müssen; eine Pressekonferenz habe noch nicht stattgefunden, sei aber wohl wegen der Erregung und Angst, die durch Göttens Flucht – die sie, Katharina, ja ermöglicht habe – entstanden sei, nun kaum noch zu vermeiden. Im übrigen sei sie jetzt durch ihre Bekanntschaft mit Götten eine »Person der Zeitgeschichte« und damit Gegenstand berechtigten öffentlichen Interesses. Beleidigende und möglicherweise verleumderische Details der Berichterstattung könne sie zum Gegenstand einer Privatklage machen, und – falls sich herausstelle, daß es »undichte Stellen« innerhalb der untersuchenden Behörde gebe, so werde diese, darauf könne sie sich verlassen, Anzeige gegen Unbekannt erheben und ihr zu ihrem Recht verhelfen. Dann wurde Katharina Blum in eine Zelle verbracht. Man verzichtete auf scharfe Bewachung, gab ihr lediglich eine jüngere Polizeiassistentin, Renate Zündach, bei, die, unbewaffnet, bei ihr blieb und später berichtete, Katharina Blum habe die ganze Zeit über – etwa zweieinhalb Stunden lang – nichts weiter getan, als immer und immer wieder die beiden

Ausgaben der ZEITUNG zu lesen. Tee, Brote, alles habe sie abgelehnt, nicht in aggressiver, sondern in »fast freundlicher, apathischer Weise«. Jede Unterhaltung über Mode, Filme, Tänze, die sie, Renate Zündach, anzufangen versucht habe, um Katharina abzulenken, habe diese abgelehnt.

Sie habe dann, um der Blum, die sich regelrecht in die Lektüre der ZEITUNG verbissen habe, zu helfen, die Bewachung vorübergehend dem Kollegen Hüften übergeben und aus dem Archiv die Berichte anderer Zeitungen geholt, in denen über die Verstrickung und Vernehmung der Blum, ihre mögliche Rolle, in durchaus sachlicher Form berichtet worden sei. Auf der dritten, vierten Seite kurze Berichte, in denen nicht einmal der Name der Blum voll ausgedruckt gewesen sei, von ihr lediglich als von einer gewissen Katharina B., Hausgehilfin, gesprochen worden sei. Zum Beispiel habe in der »Umschau« nur eine Zehnzeilen-Meldung gestanden, natürlich ohne Foto, in der man von unglückseligen Verstrickungen einer völlig unbescholtenen Person gesprochen habe. Das alles – sie habe der Blum fünfzehn Zeitungsausschnitte hingelegt – habe diese nicht getröstet, sie habe nur gefragt: »Wer liest das schon?

Alle Leute, die ich kenne, lesen die ZEI-
TUNG!«

28.

Um zu klären, wie Götten zum Hausball der
Frau Woltersheim hatte kommen können,
wurde zuerst Frau Woltersheim selbst vernommen, und es wurde vom ersten Augenblick an klar, daß Frau Woltersheim dem gesamten sie vernehmenden Gremium gegenüber, wenn nicht ausgesprochen feindselig, so
doch feindseliger als die Blum gegenüberstand.
Sie gab an, 1930 geboren zu sein, also 44 Jahre
alt, unverheiratet, von Beruf Wirtschafterin,
undiplomiert. Bevor sie zur Sache aussagte,
äußerte sie sich mit »unbewegter, fast pulver-
trockener Stimme, was ihrer Empörung mehr
Kraft verlieh, als wenn sie losgeschimpft oder
geschrien hätte«, über die Behandlung von Katharina Blum durch die ZEITUNG sowie über
die Tatsache, daß man offensichtlich Details
aus der Vernehmung an diese Art Presse wei-
tergebe. Es sei ihr klar, daß Katharinas Rolle
untersucht werden müsse, sie frage sich aber,
ob es zu verantworten sei, »ein junges Leben
zu zerstören«, wie es nun geschehe. Sie kenne

Katharina vom Tage ihrer Geburt an und beobachte jetzt schon die Zerstörung und auch Verstörtheit, die an ihr seit gestern bemerkbar sei. Sie sei keine Psychologin, aber die Tatsache, daß Katharina offenbar nicht mehr an ihrer Wohnung, an der sie sehr gehangen und für die sie so lange gearbeitet habe, interessiert sei, halte sie für alarmierend.

Es war schwer, den anklagenden Redefluß der Woltersheim zu unterbrechen, nicht einmal Beizmenne kam so recht gegen sie an, erst als er sie unterbrach und ihr vorwarf, Götten empfangen zu haben, sagte sie, sie habe seinen Namen nicht einmal gewußt, er habe sich nicht vorgestellt, sei ihr auch nicht vorgestellt worden. Sie wisse nur, daß er an dem fraglichen Mittwoch gegen 19.30 Uhr in Begleitung von Hertha Scheumel gekommen sei, gemeinsam mit deren Freundin Claudia Sterm, die wiederum in Begleitung eines als Scheich verkleideten Mannes erschienen sei, von dem sie nur wisse, daß er Karl genannt worden sei und der sich später recht merkwürdig benommen habe. Von einer Verabredung mit diesem Götten könne nicht gesprochen werden, auch habe sie nie vorher seinen Namen gehört, und sie sei über Katharinas Leben bis ins letzte Detail informiert. Als man ihr Katharinas Aussage über ihre »merkwürdigen Autofahrten« vorhielt, mußte sie allerdings zugeben, davon nichts gewußt zu haben, und damit erlitt ihre Angabe, sie wisse über alle Details in Katharinas Leben Bescheid, einen entscheidenden Schlag. Auf den Herrenbesuch angesprochen, wurde sie verlegen und sagte, da Katharina wohl darüber nichts gesagt habe, verweigere auch sie die Aussage. Das einzige, was sie dazu sagen könne: das eine sei eine »ziemlich kitschige Angelegenheit«, und »wenn ich Kitsch sage, meine ich nicht Katharina, sondern den Besucher«. Wenn sie von Katharina bevollmächtigt werde, werde sie alles darüber sagen, was sie wisse; sie halte es für ausgeschlossen, daß Katharinas Autofahrten zu diesem Herrn geführt hätten. Ja, es gebe diesen Herrn, und wenn sie zögere, mehr über ihn zu sagen, so, weil sie ihn nicht der totalen Lächerlichkeit preisgeben wolle. Katharinas Rolle jedenfalls sei in beiden Fällen – im Fall Götten und im Fall Herrenbesuch – über jeden Zweifel erhaben. Katharina sei immer ein fleißiges, ordentliches, ein bißchen schüchternes, oder besser gesagt: eingeschüchtertes Mädchen gewesen, als Kind sogar fromm und kirchentreu. Dann aber sei ihre Mutter, die auch die Kirche in Gemmelsbroich geputzt habe, mehrmals der Unordentlichkeit überführt und einmal sogar erwischt worden, wie sie in der Sakristei gemeinsam mit dem Küster eine Flasche Meßwein getrunken habe. Daraus sei dann eine »Orgie« und ein Skandal gemacht worden, und Katharina sei in der Schule vom Pfarrer schlecht behandelt worden. Ja, Frau Blum, Katharinas Mutter, sei sehr labil, streckenweise auch Alkoholikerin gewesen, aber man müsse sich diesen ewig nörgelnden, kränklichen Mann – Katharinas Vater – vorstellen, der als Wrack aus dem Krieg heimgekommen sei, dann die verbitterte Mutter und den – ja man könne sagen mißratenen Bruder. Ihr sei auch die Geschichte der völlig mißglückten Ehe bekannt. Sie habe ja von vornherein abgeraten, Brettloh sei – sie bitte um Verzeihung für diesen Ausdruck – der typische Schleimscheißer, der sich weltlichen und kirchlichen Behörden gegenüber gleich kriecherisch verhalte, außerdem ein widerwärtiger Angeber. Sie habe Katharinas frühe Ehe als Flucht aus dem schrecklichen häuslichen Milieu betrachtet, und wie man sehe, habe sich ja Katharina, sobald sie dem häuslichen Milieu und der unbedacht geschlossenen Ehe entronnen sei, geradezu vorbildlich entwickelt. Ihre berufliche Qualifikation sei über jeden Zweifel erhaben, das könne sie – die Woltersheim – nicht nur mündlich, notfalls auch schriftlich bestätigen und bescheinigen, sie sei im Prüfungsausschuß der Handwerkskammer. Mit den neuen Formen privater und öffentlicher Gastlichkeit, die immer mehr auf eine Form hin tendieren, die man »organisierten Buffetismus« zu nennen beginne, stiegen die Chancen einer Frau wie Katharina Blum, die organisatorisch, kalkulatorisch und auch, was die ästhetische Seite betreffe, aufs beste gebildet und ausgebildet sei. Jetzt allerdings, wenn es nicht gelänge, ihr Genugtuung gegenüber der ZEITUNG zu verschaffen, schwinde mit dem Interesse an ihrer Wohnung auch Katharinas Interesse an ihrem Beruf. An diesem Punkt der Aussage wurde auch Frau Woltersheim darüber belehrt, daß es nicht Sache der Polizei oder der Staatsanwaltschaft sei, »gewisse gewiß verwerfliche Formen des Journalismus strafrechtlich zu verfolgen«. Die Pressefreiheit dürfe nicht leichtfertig angetastet werden, und sie dürfe davon überzeugt sein, daß eine Privatklage gerecht behandelt und gegen illegitime Informationsquellen eine Anzeige gegen

Unbekannt erhoben werde. Es war der junge Staatsanwalt Dr. Korten, der hier ein fast leidenschaftlich zu nennendes Plädoyer für die Pressefreiheit und für das Informationsgeheimnis hielt und ausdrücklich betonte, daß, wer sich nicht in schlechte Gesellschaft begebe oder in solche gerate, ja auch der Presse keinerlei Anlaß zu vergröberten Darstellungen gebe.

Das Ganze – etwa das Auftauchen Göttens und des ominösen, als Scheich verkleideten Karl – lasse doch Schlüsse auf eine merkwürdige Sorglosigkeit im gesellschaftlichen Umgang zu. Das sei ihm noch nicht hinreichend geklärt, und er rechne damit, bei der Vernehmung der beiden betroffenen oder betreffenden jungen Damen plausible Erklärungen zu bekommen. Ihr, Frau Woltersheim, sei der Vorwurf nicht zu ersparen, daß sie in der Auswahl ihrer Gäste nicht gerade wählerisch sei. Frau Woltersheim verbat sich diese Belehrung durch einen wesentlich jüngeren Herrn und verwies darauf, daß sie die beiden jungen Damen eingeladen habe, mit ihren Freunden zu kommen, und daß es ihr allerdings fernliege, Freunde, die ihre Gäste mitbrächten, nach dem Personalausweis und dem polizeilichen Führungszeugnis zu fragen. Sie mußte einen Verweis entgegennehmen und darauf aufmerksam gemacht werden, daß hier das Alter keine, die Position des Staatsanwalts Dr. Korten aber eine erhebliche Rolle spiele. Immerhin untersuche man hier einen ernsten, einen schweren, wenn nicht den schwersten Fall von Gewaltkriminalität, in den Götten nachweislich verwickelt sei. Sie müsse es schon dem Vertreter des Staates überlassen, welche Details und welche Belehrungen er für richtig halte. Nochmals gefragt, ob Götten und der Herrenbesuch ein und dieselbe Person sein könnten, sagte die Woltersheim, nein, das könne mit Sicherheit ausgeschlossen werden. Als sie dann aber gefragt wurde, ob sie den »Herrenbesuch« persönlich kenne, je gesehen habe, ihm je begegnet sei, mußte sie das verleugnen, und da sie auch ein so wichtiges intimes Detail, wie die merkwürdigen Autofahrten nicht gewußt hatte, wurde ihre Vernehmung als unbefriedigend bezeichnet, und sie wurde »mit einem Mißton« vorläufig entlassen. Bevor sie den Raum, offenbar verärgert, verließ, gab sie noch zu Protokoll, daß der als Scheich verkleidete Karl ihr mindestens so verdächtig erschienen sei wie Götten. Jedenfalls habe er auf der Toilette ständig

Selbstgespräche geführt und sei dann ohne Abschied verschwunden.

29.

Da nachweislich die siebzehnjährige Verkäuferin Hertha Scheumel den Götten mit zur Party gebracht hatte, wurde sie als nächste vernommen. Sie war offensichtlich verängstigt, sagte, sie habe noch nie mit der Polizei zu tun gehabt, gab aber dann eine relativ plausible Erklärung über ihre Bekanntschaft mit Götten ab. »Ich wohne«, sagte sie aus, »mit meiner Freundin Claudia Sterm, die in einer Schokoladenfabrik arbeitet, zusammen in einem Ein-Zimmer-Küche-Dusche-Appartement. Wir stammen beide aus Kuir-Oftersbroich, sind beide sowohl mit Frau Woltersheim wie mit Katharina Blum weitläufig verwandt (obwohl die Scheumel die Weitläufigkeit der Verwandtschaft genauer darstellen wollte, indem sie auf Großeltern verwies, die Vettern bzw. Kusinen von Großeltern gewesen waren, wurde auf eine detaillierte Bezeichnung ihrer Verwandtschaft verzichtet und der Ausdruck ›weitläufig‹ als ausreichend angesehen). Wir nennen Frau Woltersheim Tante und betrachten Katharina als Kusine. An diesem Abend, am Mittwoch, dem 20. Februar 1974, waren wir beide, Claudia und ich, in großer Verlegenheit. Wir hatten Tante Else versprochen, unsere Freunde zu dem kleinen Fest mitzubringen, weil es sonst an Tanzpartnern fehlen würde. Nun war aber mein Freund, der zur Zeit bei der Bundeswehr dient, genauer gesagt: bei den Pionieren, wieder einmal und wieder plötzlich zur Innenstreife eingeteilt worden, und obwohl ich ihm riet, einfach abzuhauen, gelang es mir nicht, ihn dazu zu überreden, weil er schon mehrmals abgehauen war und große disziplinäre Schwierigkeiten befürchtete. Claudias Freund war aber schon am frühen Nachmittag so betrunken, daß wir ihn ins Bett stecken mußten. Wir entschlossen uns also, ins Café Polkt zu gehen und uns dort jemanden Netten aufzugabeln, weil wir uns bei Tante Else nicht blamieren wollten. Im Café Polkt ist während der Karnevalssaison immer was los. Man trifft sich dort vor und nach den Bällen, vor und nach den Sitzungen, und man kann dort sicher sein, immer viele junge Leute zu treffen. Die Stimmung im Café Polkt war am späten Mittwochnachmittag schon sehr nett. Ich bin zweimal von diesem jungen

Mann, von dem ich jetzt erst erfahre, daß er Ludwig Götten heißt und ein gesuchter Schwerverbrecher ist, zum Tanz aufgefordert worden, und beim zweiten Tanz habe ich ihn gefragt, ob er nicht Lust hat, mit mir auf eine Party zu gehen. Er hat sofort freudig zugestimmt. Er sagte, er sei auf der Durchreise, habe keine Bleibe und wisse gar nicht, wo er den Abend verbringen solle, und er würde gern mitgehen. In diesem Moment, als ich mit diesem Götten mich sozusagen verabredete, tanzte Claudia mit einem als Scheich verkleideten Mann neben mir, und sie müssen wohl unser Gespräch mit angehört haben, denn der Scheich, von dem ich später erfuhr, daß er Karl heißt, fragte sofort Claudia in so einer Art witzig gemeinter Demut, ob denn auf dieser Party nicht noch ein Plätzchen für ihn frei sei, er sei auch einsam und wisse nicht so recht, wohin. Nun, damit hatten wir ja unser Ziel erreicht und sind kurz darauf in Ludwigs – ich meine Herrn Göttens – Auto zur Wohnung von Tante Else gefahren. Es war ein Porsche, nicht sehr bequem für vier Personen, aber es war ja auch nicht weit zu fahren. Die Frage, ob Katharina Blum gewußt hat, daß wir ins Café Polkt gehen würden, um jemanden aufzugabeln, beantworte ich mit Ja. Ich habe am Morgen Katharina bei Rechtsanwalt Blorna, wo sie arbeitet, angerufen und ihr erzählt, daß Claudia und ich allein kommen müßten, wenn wir nicht jemand finden würden. Ich habe ihr auch gesagt, daß wir ins Café Polkt gehen würden. Sie war sehr dagegen und meinte, wir wären zu gutgläubig und leichtsinnig. Katharina ist nun mal komisch in diesen Sachen. Um so erstaunter war ich, als Katharina den Götten fast sofort mit Beschlag belegte und den ganzen Abend mit ihm tanzte, als würden sie sich schon ewig kennen.«

30.

Die Aussage von Hertha Scheumel wurde von ihrer Freundin Claudia Sterm fast wörtlich bestätigt. Lediglich in einem einzigen, unwesentlichen Punkt ergab sich ein Widerspruch. Sie habe nämlich nicht zwei-, sondern dreimal mit dem Scheich Karl getanzt, weil sie früher von Karl als Hertha von Götten zum Tanz aufgefordert worden sei. Und auch Claudia Sterm zeigte sich erstaunt darüber, wie rasch die als spröde bekannte Katharina Blum mit Götten vertraut, ja fast vertraulich geworden sei.

31

Es mußten noch drei weitere Teilnehmer des Hausballs vernommen werden. Der selbständige Textilkaufmann Konrad Beiters, 56 Jahre alt, ein Freund von Frau Woltersheim, und das Ehepaar Hedwig und Georg Plotten, 36 bzw. 42 Jahre alt, beide von Beruf Verwaltungsangestellte. Die drei beschrieben den Verlauf des Abends übereinstimmend, vom Eintreffen der Katharina Blum, dem Eintreffen Hertha Scheumels in Begleitung von Ludwig Götten und Claudia Stern in Begleitung des als Scheich verkleideten Karl an. Im übrigen sei es ein netter Abend gewesen, man habe getanzt, miteinander geplaudert, wobei sich Karl als besonders witzig erwiesen habe. Störend – wenn man es so nennen könne, denn die beiden hätten es sicher nicht so empfunden – sagte Georg Plotten – sei die »totale Vereinnahmung von Katharina Blum durch Ludwig Götten« gewesen. Das habe dem Abend einen Ernst, fast etwas Feierliches gegeben, das zu karnevalistischen Veranstaltungen nicht so recht passe. Auch ihr, sagte Frau Hedwig Plotten aus, sei nach dem Weggang von Katharina und Ludwig, als sie in die Küche gegangen sei, um frisches Eis zu holen, aufgefallen, daß der als Karl eingeführte Scheich auf der Toilette Selbstgespräche geführt habe. Übrigens habe sich dieser Karl kurz danach, ohne sich recht zu verabschieden, entfernt.

32.

Katharina Blum, die noch einmal zur Vernehmung vorgeführt wurde, bestätigte das Telefongespräch, das sie mit Hertha Scheumel geführt hatte, bestritt aber nach wie vor, es habe sich um eine Verabredung zwischen ihr und Götten gehandelt. Es wurde ihr nämlich, nicht von Beizmenne, sondern von dem jüngeren der beiden Staatsanwälte, Dr. Korten, nahegelegt, doch zuzugeben, daß, nachdem sie mit Hertha Scheumel telefoniert habe, Götten sie angerufen habe, und daß sie auf raffinierte Weise diesen ins Café Polkt geschickt und ihn veranlaßt habe, die Scheumel anzusprechen, um so unauffällig mit ihr bei der Woltersheim zusammenzutreffen. Das sei sehr einfach möglich gewesen, da die Scheumel eine ziemlich aufgedonnerte, auffällige Blondine sei. Katharina Blum, inzwischen fast völlig apathisch, schüttelte nur den Kopf, während sie da saß und die beiden Ausgaben der ZEITUNG nach wie vor mit der rechten Hand umklammerte. Sie wurde dann entlassen und verließ gemeinsam mit Frau Woltersheim und deren Freund Konrad Beiters das Präsidium.

33.

Als man die unterschriebenen Vernehmungsprotokolle noch einmal durchsprach und auf mögliche Befragungslücken überprüfte, warf Dr. Korten die Frage auf, ob man denn nun nicht ernsthaft versuchen müsse, dieses Scheichs mit dem Namen Karl habhaft zu werden und dessen höchst obskure Rolle in dieser Sache zu untersuchen. Er sei doch sehr erstaunt, daß noch keinerlei Maßnahmen zu einer Fahndung nach ›Karl‹ eingeleitet worden seien. Schließlich sei doch dieser Karl offensichtlich zusammen, wenn nicht gemeinsam mit Götten im Café Polkt aufgetaucht, habe sich ebenfalls in die Party gedrängt, und seine Rolle erscheine ihm, Korten, doch recht undurchsichtig, wenn nicht verdächtig.
Hier brachen nun alle Anwesenden in Lachen aus, sogar die zurückhaltende Kriminalbeamtin Pletzer erlaubte sich ein Lächeln. Die

97

Protokollführerin, Frau Anna Lockster, lachte so vulgär, daß sie von Beizmenne zurechtgewiesen werden mußte. Und da Korten immer noch nicht begriff, klärte ihn sein Kollege Hach schließlich auf. Ob Korten denn nicht klargeworden oder gar aufgefallen sei, daß Kommissar Beizmenne den Scheich absichtlich übergangen oder unerwähnt gelassen habe? Es sei doch offensichtlich, daß er einer »unserer Leute« sei und das angebliche Selbstgespräch auf der Toilette nichts weiter als eine – allerdings ungeschickt betriebene – Benachrichtigung seiner Kollegen per Minifunkgerät, die Verfolgung des Götten und der Blum, deren Adresse natürlich inzwischen bekannt gewesen sei, aufzunehmen. »Und gewiß ist Ihnen ebenfalls klar, Herr Kollege, daß in dieser Karnevalssaison Scheichkostüme die beste Tarnung sind, denn heuer sind aus naheliegenden Gründen Scheichs beliebter als Cowboys.« »Natürlich«, fügte Beizmenne hinzu, »war uns von vornherein klar, daß der Karneval es den Banditen erleichtern würde unterzutauchen und es uns erschweren würde, auf der heißen Spur zu bleiben, denn Götten wurde schon seit sechsunddreißig Stunden auf Schritt und Tritt verfolgt. Götten, der übrigens nicht verkleidet

war, hatte auf einem Parkplatz, von dem er
später den Porsche stahl, in einem VW-Bus
übernachtet, hatte später in einem Café ge-
frühstückt, auf dessen Toilette er sich rasierte
und umzog. Wir haben ihn keine Minute aus
dem Auge verloren, etwa ein Dutzend als
Scheichs, Cowboys und Spanier verkleidete
Bcamte, alle mit Minifunkgeräten ausgestattet, als verkaterte Ballheimkehrer getarnt, waren auf seiner Spur, um Kontaktversuche sofort zu melden. Die Personen, mit denen
Götten bis zum Betreten des Café Polkt in Be-
rührung kam, sind alle erfaßt und überprüft
worden:
ein Schankkellner, an dessen Theke er Bier
trank
zwei Mädchen, mit denen er in einem Alt-
stadtlokal tanzte
ein Tankwart in der Nähe Holzmarkt, wo er
den gestohlenen Porsche auftankte
ein Mann am Zeitungskiosk in der Matthias-
straße
ein Verkäufer in einem Zigarettenladen
ein Bankbeamter, bei dem er siebenhundert
amerikanische Dollar tauschte, die wahrscheinlich aus einem Bankraub stammen.
Alle diese Personen sind eindeutig als Zufalls-,

nicht als Plankontakte identifiziert worden, und keins der mit jeder einzelnen Person gewechselten Worte läßt Rückschlüsse auf einen Code zu. Ich lasse mir aber nicht einreden, daß die Blum ebenfalls ein Zufallskontakt war. Ihr Telefongespräch mit der Scheumel, die Pünktlichkeit, mit der sie bei der Woltersheim auftauchte, auch die verfluchte Innigkeit und Zärtlichkeit, mit der die beiden von der ersten Sekunde an getanzt haben – und wie rasch sie dann miteinander abgezischt sind – alles spricht gegen Zufall. Vor allem aber die Tatsache, daß sie ihn angeblich ohne Abschied hat gehen lassen und ihm ganz offensichtlich einen Weg aus dem Wohnblock gezeigt hat, der unserer strengen Überwachung entgangen sein muß. Wir haben den Wohnblock, d.h. das Gebäude innerhalb des Wohnblocks, in dem sie wohnt, keinen Augenblick aus dem Auge verloren. Natürlich konnten wir nicht das gesamte Areal von fast eineinhalb Quadratkilometern total überwachen. Sie muß einen Fluchtweg gekannt und ihn ihm gezeigt haben, außerdem bin ich sicher, daß sie für ihn – und möglicherweise für andere – als Quartiermacherin fungiert hat und genau weiß, wo er sich befindet. Die Häuser ihrer Arbeitgeber sind schon gecheckt worden, wir haben in ihrem Heimatdorf Recherchen angestellt, die Wohnung von Frau Woltersheim ist, während sie hier vernommen wurde, noch einmal gründlich untersucht worden. Nichts. Mir scheint es am besten, sie frei umherlaufen zu lassen, damit sie einen Fehler begeht, und wahrscheinlich führt die Spur zu seinem Quartier über diesen ominösen Herrenbesuch, und ich bin sicher, daß die Spur zum Fluchtweg innerhalb des Wohnblocks über Frau Blorna führt, die wir ja inzwischen auch als die ›rote Trude‹ kennen und die an der Planung des Blocks mitgewirkt hat.«

34.

Hier sollte erkannt werden, daß der erste Rückstau fast beendet ist, man vom Freitag wieder zum Samstag gelangt. Es wird alles getan werden, weitere Stauungen, auch überflüssigen Spannungsstau zu vermeiden. Ganz vermieden werden können sie wahrscheinlich nicht.

Es mag doch vielleicht aufschlußreich sein, daß Katharina Blum nach der abschließenden Vernehmung am Freitagnachmittag Else Woltersheim und Konrad Beiters bat, sie doch zunächst in ihre Wohnung zu fahren und – bitte, bitte – mit hinaufzugehen. Sie gab an, daß sie Angst habe, es sei ihr nämlich in jener Donnerstagnacht, kurz nachdem sie mit Götten telefoniert habe (jeder Außenstehende sollte an der Tatsache, daß sie, wenn auch nicht bei der Vernehmung, offen über ihre telefonischen Kontakte mit Götten sprach, ihre Unschuld erkennen!) etwas ganz und gar Scheußliches passiert. Kurz nachdem sie mit Götten telefoniert, den Hörer gerade aufgelegt habe, habe wieder das Telefon geklingelt, sie habe, in der »wilden Hoffnung«, es sei wieder Götten, sofort den Hörer abgenommen, aber es sei nicht Götten am Apparat gewesen, sondern eine »fürchterlich leise« Männerstimme habe ihr »fast flüsternd« lauter »gemeine Sachen« gesagt, schlimme Dinge, und das schlimmste sei, der Kerl habe sich als Hausbewohner ausgegeben und gesagt, warum sie, wenn sie so auf Zärtlichkeit aus sei, so weit hergeholte Kontakte suche, er sei bereit und auch in der Lage, ihr jede, aber auch jede Art von Zärtlichkeit zu bieten. Ja, es sei dieser Anruf der Grund gewesen, warum sie noch in der Nacht zu Else gekommen sei. Sie habe Angst, sogar Angst vor dem Telefon, und da Götten ihre, sie aber nicht Göttens Telefonnummer habe, hoffe sie immer noch auf einen Anruf, fürchte aber gleichzeitig das Telefon.

Nun, es soll hier nicht vorenthalten werden, daß der Blum weitere Schrecken bevorstanden. Zunächst einmal: ihr Briefkasten, der bisher in ihrem Leben eine sehr geringe Rolle gespielt, in den sie meistens nur, »weil mans eben tut«, aber ohne Erfolg hineingeschaut hatte. An diesem Freitagmorgen quoll er regelrecht über, und keineswegs zu Katharinas Freude. Denn, obwohl Else W. und Beiters alles taten, um Briefe, Drucksachen abzufangen, ließ sie sich nicht beirren, schaute, wohl in der Hoffnung auf ein Lebenszeichen von ihrem lieben Ludwig, alle Postsachen – insgesamt etwa zwanzig – durch, offenbar ohne etwas von Ludwig zu finden, und stopfte den Kram in ihre Handtasche. Schon die Fahrt im Aufzug war eine Qual, da zwei Mitbewohner ebenfalls hochfuhren. Ein (es muß gesagt werden, obwohl es unglaubwürdig klingt) als Scheich verkleideter Herr, der sich in offensichtlicher Distanzierungsqual in die Ecke drückte, zum Glück aber schon im vierten Stock ausstieg, und eine (es klingt verrückt, aber was wahr ist, ist wahr) als

Andalusierin verkleidete Dame, die, durch eine Gesichtsmaske gedeckt, keineswegs von Katharina abrückte, sondern direkt neben ihr stehenblieb und sie aus »frechen, harten, braunen Augen« dreist und neugierig musterte. Sie fuhr über den achten Stock hinaus.

Zur Warnung: es kommt noch schlimmer. Endlich in ihrer Wohnung, bei deren Betreten sich Katharina regelrecht an Beiters und Frau W. anklammerte, klingelte das Telefon, und hier war Frau W. schneller als Katharina, sie rannte los, nahm den Hörer ab, man sah ihren entsetzten Gesichtsausdruck, sah sie bleich werden, hörte sie »Sie verdammte Sau, Sie verdammte feige Sau« murmeln, und klugerweise legte sie den Hörer nicht wieder auf, sondern neben die Gabel.

Vergeblich versuchten Frau W. und Beiters gemeinsam, Katharina ihre Post zu entreißen, sie hielt den Packen Briefe und Drucksachen fest umklammert, zusammen mit den beiden Ausgaben der ZEITUNG, die sie ebenfalls ihrer Tasche entnommen hatte, und bestand darauf, die Briefschaften zu öffnen. Es war nichts zu machen. Sie las das alles!

Es war nicht alles anonym. Ein nicht anonymer Brief – der umfangreichste – kam von einem

Unternehmen, das sich *Intim-Versandhaus* nannte und ihr alle möglichen Sex-Artikel anbot. Das war für Katharinas Gemüt schon ziemlich starker Tobak, schlimmer noch, daß jemand handschriftlich dazugeschrieben hatte: »*Das* sind die wahren Zärtlichkeiten«. Um es kurz, oder noch besser: statistisch zu machen: von den weiteren achtzehn Briefschaften waren

sieben anonyme Postkarten, handschriftlich mit »derben« sexuellen Offerten, die alle irgendwie das Wort »Kommunistensau« verwendet hatten

vier weitere anonyme Postkarten enthielten politische Beschimpfungen ohne sexuelle Offerten. Es ging von »roter Wühlmaus« bis »Kreml-Tante«

fünf Briefe enthielten Ausschnitte aus der ZEITUNG, die zum größeren Teil, etwa drei bis vier – mit roter Tinte am Rand kommentiert waren, u.a. folgenden Inhalts: »Was Stalin nicht geschafft hat, Du wirst es auch nicht schaffen«

zwei Briefe enthielten religiöse Ermahnungen, in beiden Fällen auf beigelegte Traktate geschrieben »Du mußt wieder beten lernen, armes, verlorenes Kind« und »knie nieder und

bekenne, Gott hat dich noch nicht aufgege-
ben«.

Und erst in diesem Augenblick entdeckte Else
W. einen unter die Tür geschobenen Zettel,
den sie zum Glück tatsächlich vor Katharina
verbergen konnte: »Warum machst du keinen
Gebrauch von meinem Zärtlichkeitskatalog?
Muß ich dich zu deinem Glück zwingen? Dein
Nachbar, den du so schnöde abgewiesen hast.
Ich warne dich.« Das war in Druckschrift ge-
schrieben, an der Else W. akademische, wenn
nicht ärztliche Bildung zu erkennen glaubte.

35.

Es ist schon erstaunlich, daß weder Frau W.
noch Konrad B. erstaunt waren, als sie nun,
ohne an irgendeine Form des Eingreifens zu
denken, beobachteten, wie Katharina an die
kleine Hausbar in ihrem Wohnraum ging, je
eine Flasche Sherry, Whisky, Rotwein und eine
angebrochene Flasche Kirschsirup heraus-
nahm und ohne sonderliche Erregung gegen
die makellosen Wände warf, wo sie zerschell-
ten, zerflossen.

Das gleiche machte sie in ihrer kleinen Küche,
wo sie Tomatenketchup, Salatsauce, Essig,

Worcestersauce zum gleichen Zweck benutzte. Muß hinzugefügt werden, daß sie gleiches in ihrem Badezimmer mit Cremetuben, -flaschen, Puder, Pulvern, Badeingredienzien – und in ihrem Schlafzimmer mit einem Flacon Kölnisch Wasser tat?
Dabei wirkte sie planvoll, keineswegs erregt, so überzeugt und überzeugend, daß Else W. und Konrad B. nichts unternahmen.

36.

Es hat natürlich ziemlich viele Theorien gegeben, die den Zeitpunkt herauszuanalysieren versuchten, an dem Katharina die ersten Mordabsichten faßte oder den Mordplan ausdachte und sich dazu entschloß, ihn auszuführen. Manche denken, daß schon der erste Artikel am Donnerstag in der ZEITUNG genügt habe, wieder andere halten den Freitag für den entscheidenden Tag, weil an diesem Tag die ZEITUNG immer noch keinen Frieden gab und Katharinas Nachbarschaft und Wohnung, an der sie so hing, sich als (subjektiv jedenfalls) zerstört erwies; der anonyme Anrufer, die anonyme Post – und dann noch die ZEITUNG vom Samstag und außerdem (hier wird vorgegriffen!) die SONNTAGSZEITUNG. Sind solche Spekulationen nicht überflüssig: Sie hat den Mord geplant und ausgeführt – und damit basta! Gewiß ist, daß sich in ihr etwas »gesteigert hat« – daß die Äußerungen ihres ehemaligen Ehemanns sie besonders aufgebracht haben, und ganz gewiß ist, daß alles, was dann in der SONNTAGSZEITUNG stand, wenn nicht auslösend, so doch keineswegs beruhigend gewirkt haben kann.

37.

Bevor der Rückstau endgültig als beendet betrachtet werden und wieder auf Samstag geblendet werden kann, muß nur noch über den Verlauf des Freitagabends und der Nacht von Freitag auf Samstag bei Frau Woltersheim berichtet werden. Gesamtergebnis: überraschend friedlich. Ablenkungsversuche von Konrad Beiters, der Tanzmusik auflegte, südamerikanische sogar, und Katharina zum Tanzen bewegen wollte, scheiterten zwar, es scheiterte auch der Versuch, Katharina von der ZEITUNG und ihrer anonymen Post zu trennen; was ebenfalls scheiterte, war der Versuch, das alles als nicht so schrecklich wichtig und vorübergehend darzustellen. Hatte man nicht Schlimmeres überstanden: das Elend der Kindheit, die Ehe mit diesem miesen Brettloh, die Trunksucht und »milde ausgedrückt Verkommenheit von Mutter, die ja letzten Endes doch auch für Kurts Straucheln verantwortlich ist«. War Götten nicht zunächst in Sicherheit und sein Versprechen, sie zu holen, ernst zu nehmen? War nicht Karneval, und war man nicht finanziell gesichert? Gabs nicht so furchtbar nette Leute wie die Blornas, die Hiepertz, und war nicht auch der »eitle Fatzke« – man scheute sich immer noch, den Herrenbesuch beim Namen zu nennen – im Grunde eine belustigende und keineswegs eine bedrückende Erscheinung? Da widersprach Katharina und verwies auf den »idiotischen Ring und den affigen Briefumschlag«, die sie beide fürchterlich in die Klemme gebracht und sogar Ludwig in Verdacht gebracht hätten. Hatte sie wissen können, daß dieser Fatzke sich seine Eitelkeit so viel würde kosten lassen? Nein, nein, belustigend fand sie den nun gar nicht. Nein. Als man praktische Dinge besprach – etwa, ob sie denn eine neue Wohnung suchen und ob man nicht schon überlegen solle, wo –, wich Katharina aus und sagte, das einzig praktische, was sie vorhabe, wäre, sich ein Karnevalskostüm zu machen, und sie bat Else leihweise um ein großes Bettuch, denn sie habe vor, angesichts der Scheichmode selbst am Samstag oder Sonntag als Beduinenfrau »loszuziehen«. Was ist denn eigentlich Schlimmes passiert? Fast nichts, wenn man es genau betrachtet, oder besser gesagt: fast nur Positives, denn immerhin hat Katharina den, »der da kommen sollte«, wirklich getroffen, hat mit ihm »eine Liebesnacht verbracht«, nun gut, sie ist verhört bzw. vernommen worden, und offenbar ist Ludwig wirklich »kein Schmetterlingsfänger«. Dann hat es den üblichen Dreck in der ZEITUNG gegeben, ein paar Säue haben anonym angerufen, andere haben anonym geschrieben. Geht denn das Leben nicht weiter? Ist Ludwig nicht bestens – und wie nur sie, sie ganz allein weiß, geradezu komfortabel untergebracht? Jetzt nähen wir ein Karnevalskostüm, in dem Katharina entzückend aussehen wird, einen weißen Frauenburnus; hübsch wird sie darin »losziehen«.

Schließlich verlangt sogar die Natur ihr Recht, und man schläft ein, nickt ein, erwacht wieder, nickt wieder ein. Trinkt man schließlich ein Gläschen miteinander? Warum nicht? Ein durch und durch friedliches Bild: eine junge Frau, die über einer Näharbeit eingenickt ist, während eine ältere Frau und ein älterer Mann sich vorsichtig um sie herumbewegen, damit »die Natur ihr Recht bekommt«. Die Natur bekommt so sehr recht, daß Katharina nicht einmal vom Telefon, das gegen zweieinhalb Uhr früh klingelt, geweckt wird. Wieso fangen plötzlich der nüchternen Frau Woltersheim die Hände an zu flattern, wenn sie den Telefonhörer ergreift? Erwartet sie anonyme Zärtlichkeiten, wie sie sie ein paar Stunden vorher erfahren hat? Natürlich ist zweieinhalb Uhr morgens eine bange Zeit zum Telefonieren, aber sie ergreift den Hörer, den ihr Beiters sofort aus der Hand nimmt, und als er »Ja?« sagt, wird sofort wieder aufgelegt. Und es klingelt wieder, und wieder wird, sobald er aufgenommen, noch bevor er »Ja?« gesagt hat, aufgelegt. Natürlich gibt es auch Leute, die einem den Nerv töten wollen, seitdem sie aus der ZEITUNG erfahren haben, wie man heißt und wo man wohnt, und es ist besser, den Hörer nicht mehr aufzulegen.

Und da hat man sich vorgenommen, Katharina wenigstens vor der Samstagsausgabe der ZEITUNG zu bewahren, sie aber hat ein paar

Augenblicke wahrgenommen, in denen Else
W. eingeschlafen ist und Konrad B. sich im Badezimmer rasiert, ist auf die Straße geschli-
chen, wo sie in der Morgendämmerung den ersten besten ZEITUNGSkasten aufgerissen
und eine Art Sakrileg begangen hat, denn sie
hat das VERTRAUEN der ZEITUNG mißbraucht, indem sie eine ZEITUNG heraus-
nahm, ohne zu bezahlen! In diesem Augenblick kann der Rückstau für vorläufig beendet
erklärt werden, denn es ist genau um die Zeit,
in der die Blornas an eben diesem Samstag zerknittert, gereizt und traurig aus dem Nachtzug
steigen und die gleiche Ausgabe der ZEITUNG
erwischen, die sie später zu Hause studieren
werden.

38.

Bei Blornas ist ein ungemütlicher Samstagmorgen, äußerst ungemütlich, nicht nur wegen der fast schlaflosen, zerrüttelten und ver-
schüttelten Nacht im Schlafwagen, nicht nur
wegen der ZEITUNG, von der Frau Blorna
sagte, diese Pest verfolge einen in die ganze
Welt, nirgendwo sei man sicher; ungemütlich
nicht nur wegen der vorwurfsvollen Tele-

gramme einflußreicher Freunde und Geschäftsfreunde, von der »Lüstra«, auch Hachs wegen, den man zu früh, einfach zu früh (und auch wieder zu spät, wenn man bedachte, daß man ihn besser schon am Donnerstag angerufen hätte) am Tage anrief. Er war nicht sehr freundlich, sagte, die Vernehmung von Katharina sei abgeschlossen, er könne nicht sagen, ob ein Verfahren gegen sie eröffnet würde, im Augenblick bedürfe sie sicher des Beistands, aber noch nicht eines Rechtsbeistandes. Hatte man vergessen, daß Karneval war und auch Staatsanwälte ein Recht auf einen Feierabend und gelegentliche Feiern haben? Nun, immerhin kennt man sich schon seit 24 Jahren, hat miteinander studiert, gepaukt, Lieder gesungen, sogar Wanderungen gemacht, und da nimmt man die ersten Minuten schlechter Laune nicht so wichtig, zumal man selbst sich so äußerst ungemütlich fühlt, aber dann – und das von einem Staatsanwalt – die Bitte, weiteres doch lieber mündlich und nicht gerade fernmündlich zu besprechen. Ja, belastet sei sie, manches sei äußerst unklar, aber nicht mehr, vielleicht später am Nachmittag mündlich. Wo? In der Stadt. Ambulierenderweise am besten. Im Foyer des Museums. Sechszehnuhrdreißig. Keine telefonische Verbindung mit Katharinas Wohnung, keine mit Frau Woltersheim, keine beim Ehepaar Hiepertz. Ungemütlich auch, daß das Fehlen von Katharinas ordnender Hand so rasch und so deutlich spürbar wurde. Wie kommt es bloß, daß innerhalb einer halben Stunde, obwohl man doch nur Kaffee aufgegossen, Knäckebrot, Butter und Honig aus dem Schrank geholt und die paar Gepäckstücke in die Diele gestellt hat, schon das Chaos ausgebrochen zu sein scheint, und schließlich wurde sogar Trude gereizt, weil er sie immer wieder und immer wieder fragte, wo sie denn da einen Zusammenhang sehe zwischen Katharinas Affäre und Alois Sträubleder oder gar Lüding, und sie ihm so gar nicht entgegenkam, nur immer wieder in ihrer gespielt naiv-ironischen Art, die er sonst mochte, an diesem Morgen aber gar nicht schätzte, auf die beiden Ausgaben der ZEITUNG verwies, und ob ihm da nicht ein Wort besonders aufgefallen sei, und als er fragte welches, verweigerte sie die Auskunft mit dem sarkastischen Hinweis, sie wolle seinen Scharfsinn auf die Probe stellen, und er las wieder und wieder »diesen Dreck, diesen verfluchten Dreck, der einen über die ganze Welt hin verfolgt«, las es immer wieder, unkonzentriert, weil der Ärger über seine verfälschte Äußerung und die »rote Trude« immer wieder hochkam, bis er schließlich kapitulierte und Trude demütig bat, ihm doch zu helfen; er sei so außer sich, daß sein Scharfsinn versage, und außerdem sei er ja seit Jahren nur noch als Industrie-, kaum noch als Kriminalanwalt tätig, woraufhin sie trocken sagte »Leider«, dann aber Erbarmen zeigte und sagte »fällt dir denn das Wort Herrenbesuch nicht auf, und ist dir nicht aufgefallen, daß ich das Wort Herrenbesuch auf die Telegramme bezogen habe? Würde etwa jemand diesen Götting – nein Götten, schau dir doch seine Fotos mal genau an –, würde jemand ihn, ganz gleich, wie er gekleidet sein mag, denn als Herrenbesuch bezeichnen? Nein, nicht wahr, so etwas nennt man in der Sprache freiwillig spitzelnder Mitbewohner immer noch Männerbesuch, und ich verwandle mich auf der Stelle in eine Prophetin und sage dir, daß wir innerhalb von spätestens einer Stunde ebenfalls Herrenbesuch bekommen, und was ich dir außerdem prophezeie: Ärger, Konflikte – und möglicherweise das Ende einer alten Freundschaft, Ärger auch mit deiner roten Trude, und mehr als Ärger mit Katharina, die zwei lebensgefährliche Eigenschaften hat: Treue und Stolz, und sie wird niemals, niemals zugeben, daß sie diesem Jungen einen Fluchtweg gezeigt hat, den wir, sie und ich, gemeinsam studiert haben. Ruhig, mein Liebster, ruhig: es wird nicht rauskommen, aber genaugenommen bin ich schuld, daß dieser Götting, nein Götten, ungesehen aus ihrer Wohnung verschwinden konnte. Du erinnerst dich sicher nicht mehr, daß ich einen Plan der gesamten Heizungs-, Lüftungs-, Kanalisations- und Leitungsanlagen von ›Elegant am Strom wohnen‹ in meinem Schlafzimmer hängen hatte. Da waren die Heizungsschächte rot, die Lüftungsschächte blau, die Kabelleitungen grün und die Kanalisation gelb eingezeichnet. Dieser Plan hat Katharina derart fasziniert – wo sie doch selbst so eine ordentliche, planende, fast genial planende Person ist –, daß sie immer lange davor stand und mich immer wieder nach Zusammenhängen und Bedeutungen dieses »abstrakten Gemäldes« – so nannte sie es – fragte, und ich, ich war drauf und dran, ihr eine Kopie davon zu besorgen und zu schenken. Ich bin ziemlich erleichtert, daß ichs nicht getan habe, stell dir vor, man hätte eine Kopie des Plans bei ihr gefunden –

dann wäre die Verschwörungstheorie, die Idee des Umschlagplatzes perfekt untermauert, die Verbindung – Rote-Trude-Banditen – Katharina-Herrenbesuch. So ein Plan wäre natürlich für alle Sorten von Ein- und Ehebrechern, die nicht gesehen werden wollen, eine ideale Anleitung, ungesehen ein- und auszugehen. Ich selbst habe ihr noch erklärt, welche Höhe die einzelnen Gänge haben: wo man aufrecht gehen, wo man gebückt gehen kann, wo man kriechen muß, bei Rohrbrüchen und Kabelpannen. So, nur so kann dieser liebenswürdige junge Gentleman, von dessen Zärtlichkeiten sie jetzt nur noch träumen darf, der Polizei tritschen gegangen sein, und wenn er wirklich ein Bankräuber ist, wird er das System durchschaut haben. Vielleicht ist auch der Herrenbesuch so ein- und ausgegangen. Diese modernen Wohnblocks erfordern ganz andere Überwachungsmethoden als die altmodischen Mietshäuser. Du mußt der Polizei und der Staatsanwaltschaft gelegentlich mal 'nen Tip geben. Die bewachen die Haupteingänge, vielleicht das Foyer und den Aufzug, aber da gibt es außerdem einen Arbeitsaufzug, der direkt in den Keller führt – und da kriecht einer ein paar hundert Meter, hebt nur irgendwo einen Kanaldecken und ist perdu. Glaub mir: jetzt hilft nur noch beten, denn Schlagzeilen in der ZEITUNG in diesem oder jenem Zusammenhang kann er nicht brauchen, was er jetzt braucht, ist eine direkte handfeste Manipulation der Ermittlungen und der Berichterstattung darüber, und was er ebenso fürchtet wie die Schlagzeilen, ist das bittere und säuerliche Gesicht einer gewissen Maud, die seine ihm rechtmäßig und kirchlich angetraute Frau ist, von der er außerdem vier Kinder hat. Hast du denn nie bemerkt, wie ›jungenhaft fröhlich‹, fast ausgelassen – und ich muß schon sagen: richtig nett er die paar Mal mit Katharina getanzt hat, und wie er sich geradezu aufdrängte, sie nach Hause zu bringen – und wie jungenhaft enttäuscht er war, als sie ihren eigenen Wagen anschaffte? Das, was er brauchte, wonach sein Herz begehrte, so ein einmalig nettes Ding wie Katharina, nicht leichtfertig und doch – wie nennt ihr das doch – liebesfähig, ernst und doch jung und so hübsch, daß sies selber nicht wußte. Hat sie nicht auch dein Männerherz ein wenig erfreut?«

Ja, ja das hatte sie: sein Männerherz erfreut, und er gab es zu, gab auch zu, daß er sie mehr, viel mehr als nur gern habe, und sie, Trude,

wisse doch, daß jeder, nicht nur Männer, mal
so Anwandlungen hätten, einfach mal jemand
so in den Arm zu nehmen und vielleicht mehr
– aber Katharina, nein, es war da etwas, das ihn
nie, niemals zum Herrenbesuch bei ihr gemacht hätte, und wenn ihn etwas gehindert
habe, ja es ihm unmöglich gemacht habe, zum
Herrenbesuch zu werden – oder besser gesagt:
das zu versuchen –, so wäre es nicht, und sie
wisse, wie er das meine, nicht der Respekt vor
ihr und die Rücksichtnahme auf sie, Trude, gewesen, sondern Respekt vor Katharina, ja, Respekt, fast Ehrfurcht, mehr, liebevolle Ehrfurcht vor ihrer, ja verdammt, Unschuld – und
mehr, mehr als Unschuld, für das er keinen
Ausdruck finde. Es sei wohl dieses merkwürdige, herzliche Kühle an Katharina und – obwohl er fünfzehn Jahre älter sei als Katharina
und es weiß Gott im Leben zu was gebracht
habe – wie Katharina ihr verkorkstes Leben
angepackt, geplant, organisiert habe – das habe
ihn, hätte er überhaupt je Gedanken dieser Art
gehabt, gehindert, weil er Angst gehabt habe,
sie oder ihr Leben zu zerstören – denn sie sei
so verletzlich, so verdammt verletzlich, und er
würde, wenn sich herausstellen sollte, daß
Alois wirklich der Herrenbesuch gewesen sei,

er würde ihm – schlicht gesagt – einen »in die Fresse hauen«; ja, man müsse ihr helfen, helfen, sie sei diesen Tricks, diesen Verhören, diesen Vernehmungen nicht gewachsen – und nun sei es zu spät und er müsse, müsse im Laufe des Tages Katharina auftreiben . . . aber hier wurde er in seinen aufschlußreichen Meditationen unterbrochen, weil Trude mit ihrer unvergleichlichen Trockenheit feststellte: »Der Herrenbesuch ist soeben vorgefahren.«

39.

Es soll hier gleich festgestellt werden, daß Blorna Sträubleder, der da tatsächlich in einem bombastischen Mietwagen vorgefahren war, nicht in die Fresse schlug. Es soll hier nicht nur möglichst wenig Blut fließen, auch die Darstellung körperlicher Gewalt soll, wenn sie schon nicht vermieden werden kann, auf jenes Minimum beschränkt werden, das die Pflicht der Berichterstattung auferlegt. Das bedeutet nicht, daß es nun etwa gemütlicher wurde bei den Blornas, im Gegenteil: es wurde noch ungemütlicher, denn Trude B. konnte sich nicht verkneifen, den alten Freund, während sie weiterhin in ihrer Kaffeetasse rührte, mit den Worten zu begrüßen »Hallo Herrenbesuch«. »Ich nehme an«, sagte Blorna verlegen, »Trude hat mal wieder den Nagel auf den Kopf getroffen.« »Ja«, sagte Sträubleder, »fragt sich nur, ob das immer taktvoll ist.«

Es kann hier festgestellt werden, daß es zu fast unerträglichen Spannungen zwischen Frau Blorna und Alois Sträubleder gekommen war, als jener einmal sie nicht gerade verführen, aber doch erheblich mit ihr flirten wollte und sie ihm – auf ihre trockene Art zu verstehen gab, daß er sich für unwiderstehlich halte, es aber nicht sei, jedenfalls für sie nicht. Unter diesen Umständen wird man verstehen, daß Blorna Sträubleder sofort in sein Arbeitszimmer führte und seine Frau bat, sie allein zu lassen und in der Zwischenzeit (»Zeit zwischen was?« fragte Frau Blorna) alles, alles zu tun, um Katharina aufzutreiben.

40.

Warum kommt einem plötzlich sein eigenes Arbeitszimmer so scheußlich vor, fast durcheinander und schmutzig, obwohl kein Stäubchen zu entdecken ist und alles am rechten

Platz? Was macht die roten Ledersessel, in denen man so manches gute Geschäft abgewikkelt und so manches vertrauliche Gespräch geführt hat, in denen man wirklich bequem sitzen und Musik hören kann, plötzlich so widerwärtig, sogar die Bücherregale ekelhaft und den handsignierten Chagall an der Wand geradezu verdächtig, als wäre es eine vom Künstler selbst ausgeführte Fälschung? Aschenbecher, Feuerzeug, Whiskyflacon – was hat man gegen diese harmlosen, wenn auch kostspieligen Gegenstände? Was macht einen so ungemütlichen Tag nach einer äußerst ungemütlichen Nacht so unerträglich und die Spannung zwischen alten Freunden so stark, daß die Funken fast überspringen? Was hat man gegen die Wände, die, sanftgelb rauhfaserüberpinselt, mit moderner, mit Gegenwartsgraphik geschmückt sind?

»Ja, ja«, sagte Alois Sträubleder, »ich bin eigentlich nur gekommen, um dir zu sagen, daß ich in *dieser* Sache deine Hilfe nicht mehr brauche. Du hast mal wieder die Nerven verloren, auf dem Flugplatz da im Nebel. Eine Stunde, nachdem ihr die Nerven oder die Geduld verloren habt, hat sich nämlich der Nebel gelichtet, und ihr hättet immer noch gegen

18.30 Uhr hier sein können. Ihr hättet sogar bei
ein wenig ruhigem Nachdenken noch in München den Flughafen anrufen, herausfinden
können, daß keine Behinderung mehr vorlag.
Aber Schwamm darüber. Um nicht mit fal-
schen gezinkten Karten zu spielen – selbst
wenn kein Nebel gewesen und das Flugzeug
planmäßig abgeflogen wäre, wärst du zu spät
gekommen, weil der entscheidende Teil der
Vernehmung dann längst abgeschlossen gewesen und im übrigen nichts mehr zu verhin-
dern gewesen wäre.«

»Ich kann gegen die ZEITUNG ohnehin nicht
an«, sagte Blorna.

»Die ZEITUNG« sagt Sträubleder, »stellt
keine Gefahr dar, das hat Lüding in der Hand,
aber es gibt ja auch noch Zeitungen, und ich
kann jede Art von Schlagzeilen gebrauchen,
nur diese Art nicht, die mich mit den Banditen
in Verbindung bringt. Eine romantische Frau-
engeschichte bringt mich höchstens privat in
Schwierigkeiten, nicht öffentlich. Da würde
nicht einmal ein Foto mit einer so attraktiven
Frau wie Katharina Blum schaden, im übrigen
wird die Herrenbesuchstheorie fallengelassen
und weder Schmuck noch Brief – nun ja, ich
habe ihr einen ziemlich kostbaren Ring ge-

schenkt, den man gefunden hat, und ein paar
Briefe geschrieben, von denen man nur einen
Umschlag gefunden hat – werden Schwierigkeiten bereiten. Schlimm ist, daß dieser Tötges unter einem anderen Namen für Illu-
strierte die Sachen schreibt, die er in der
ZEITUNG nicht bringen darf, und daß – nun
ja – Katharina ihm ein Exklusivinterview versprochen hat. Ich habe das vor wenigen Minuten von Lüding erfahren, der auch dafür ist, daß
Tötges das Interview wahrnimmt, weil man ja
die ZEITUNG in der Hand hat, aber man hat
keinen Einfluß auf Tötges weitere journalistischen Aktivitäten, die er über einen Stroh-
mann abwickelt. Du scheinst überhaupt nicht
informiert zu sein, wie?« »Ich habe keine Ah-
nung«, sagte Blorna.
»Ein merkwürdiger Zustand für einen Anwalt,
dessen Mandant ich immerhin bin; das kommt
davon, wenn man in Rüttel- und Schüttelzü-
gen sinnlos Zeit verplempert, anstatt sich einmal mit Wetterämtern in Verbindung zu setzen, die einem hätten sagen können, daß der
Nebel sich bald lichten wird. Du hast also offenbar noch keine Verbindung mit ihr?«
»Nein, du denn?«
»Nein, nicht direkt. Ich weiß nur, daß sie vor

ungefähr einer Stunde bei der ZEITUNG angerufen und Tötges für morgen nachmittag ein Exklusiv-Interview versprochen hat. Er hat angenommen. Und es ist da noch eine Sache, die mir mehr, bedeutend mehr Kummer, die mir regelrecht Magenschmerzen verursacht« (hier wirkte Sträubleders Gesicht fast bewegt und seine Stimme bekümmert), »du kannst mich ab morgen beschimpfen, soviel du willst, weil ich euer Vertrauen ja wirklich mißbraucht habe – aber andererseits leben wir ja wirklich in einem freien Land, wo es auch gestattet ist, ein freies Liebesleben zu führen, und du mußt mir glauben, ich würde alles tun, um ihr zu helfen, ich würde sogar meinen Ruf aufs Spiel setzen, denn – du darfst getrost lachen – ich liebe diese Frau, nur: ihr ist nicht mehr zu helfen – mir ist noch zu helfen – sie läßt sich einfach nicht helfen . . .«

»Und gegen die ZEITUNG kannst du ihr auch nicht helfen, gegen diese Schweine?«

»Mein Gott, du mußt das nicht so schwernehmen mit der ZEITUNG, auch wenn sie euch jetzt ein bißchen in die Zange nehmen. Wir wollen uns doch hier nicht über Boulevardjournalismus und Pressefreiheit streiten. Kurz gesagt, ich hätte gern, wenn du bei dem Interview dabei sein könntest, als mein *und* ihr Anwalt. Das Heikelste ist nämlich bisher weder bei den Vernehmungen noch in der Presse herausgekommen: ich habe ihr vor einem halben Jahr den Schlüssel zu unserem Zweithaus in Kohlforstenheim regelrecht aufgedrängt. Den Schlüssel hat man weder bei der Haussuchung noch bei der Leibesvisitation gefunden, aber sie *hat* ihn oder hat ihn wenigstens gehabt, wenn sie ihn nicht einfach weggeworfen hat. Es war einfach Sentimentalität, nenne es wie du willst, aber ich wollte, daß sie einen Schlüssel zum Haus da hat, weil ich die Hoffnung nicht aufgeben wollte, daß sie mich mal da besucht. Glaub mir doch, daß ich ihr helfen, daß ich ihr beistehen, daß ich sogar hingehen würde und bekennen würde: Seht hier, ich bin der Herrenbesuch – aber ich weiß doch: mich würde sie verleugnen, ihren Ludwig nie.«

Es war etwas ganz Neues, Überraschendes in Sträubleders Gesicht, das in Blorna fast Mitleid erweckte, mindestens gewiß aber Neugierde; es war etwas fast Demütiges, oder war es Eifersucht? »Was war da mit Schmuck, mit Briefen und nun dem Schlüssel?« »Verdammt noch mal, Hubert, begreifst du denn immer noch nicht? Es ist etwas, was ich weder Lüding noch

Hach noch der Polizei sagen kann – ich bin sicher, daß sie den Schlüssel ihrem Ludwig gegeben hat und daß dieser Kerl jetzt seit zwei Tagen da hockt. Ich habe einfach Angst, um Katharina, um die Polizeibeamten, auch um diesen dummen jungen Bengel, der da vielleicht in meinem Haus in Kohlforstenheim hockt. Ich möchte, daß er dort verschwindet, bevor sie ihn entdecken, möchte gleichzeitig, daß sie ihn schnappen, damit die Sache ein Ende hat. Verstehst du jetzt? Und zu was rätst du?«

»Du könntest dort anrufen, in Kohlforstenheim, meine ich.«

»Und du glaubst, daß er, wenn er da ist, ans Telefon geht?«

»Dann mußt du die Polizei anrufen, es gibt keinen anderen Weg. Schon um Unheil zu verhüten. Ruf sie notfalls anonym an. Wenn auch nur die geringste Möglichkeit besteht, daß Götten in deinem Haus ist, mußt du sofort die Polizei verständigen. Sonst tue ich es.«

»Damit mein Haus und mein Name doch im Zusammenhang mit diesem Banditen in die Schlagzeilen kommt? Ich dachte an etwas anderes .. ich dachte, daß du vielleicht mal hinfahren könntest, ich meine nach Kohlforstenheim, so als mein Anwalt, um mal nach dem Rechten zu sehen.«

»In diesem Augenblick? Am Karnevalssamstag, wo die ZEITUNG schon weiß, daß ich meinen Urlaub überstürzt abgebrochen habe – und das habe ich nur getan, um in deinem Wochenendhaus nach dem Rechten zu sehen? Ob der Eisschrank noch funktioniert, wie? Ob der Thermostat der Ölheizung noch richtig eingestellt ist, keine Scheibe eingeworfen, die Bar noch ausreichend bestückt und die Bettwäsche nicht klamm? Dazu kommt ein hochangesehener Industrieanwalt, der eine Luxusvilla mit Swimming-pool besitzt und mit der ›roten Trude‹ verheiratet ist, überstürzt aus dem Urlaub? Hältst du das wirklich für eine kluge Idee, wo doch ganz sicher die Herren ZEITUNGS-Reporter jede meiner Bewegungen beobachten – ich fahre, sozusagen kaum dem Schlafwagen entstiegen, zu deiner Villa hinaus, um zu sehen, ob die Krokusse bald durchbrechen oder die Schneeglöckchen schon raus sind? Hältst du das wirklich für eine gute Idee – ganz abgesehen davon, daß dieser liebenswürdige Ludwig schon bewiesen hat, daß er ganz gut schießen kann?«

»Verdammt, ich weiß nicht, ob deine Ironie

oder deine Witze hier noch angebracht sind. Ich
bitte dich als meinen Anwalt und Freund um
einen Dienst, der nicht einmal persönlicher,
sondern mehr noch staatsbürgerlicher Natur
ist – und du kommst mir mit Schneeglöckchen. Diese Sache ist seit gestern so geheim,
daß wir seit heute früh keinerlei Informationen mehr von dort bekommen haben. Alles,
was wir wissen, wissen wir von der ZEITUNG,
zu der Lüding zum Glück gute Beziehungen
hat. Staatsanwaltschaft und Polizei telefonieren nicht einmal mehr mit dem Innenministe-
rium, zu dem Lüding ebenfalls gute Beziehungen hat. Es geht um Leben und Tod, Hubert.«
In diesem Augenblick kam Trude ohne anzu-
klopfen herein, mit dem Transistor in der
Hand und sagte ruhig: »Um Tod gehts nicht
mehr, nur noch um Leben, Gott sei Dank. Sie
haben den Jungen geschnappt, dummerweise
hat er geschossen und ist beschossen worden,
verletzt, aber nicht lebensgefährlich. In deinem Garten, Alois, in Kohlforstenheim, zwischen Swimming-pool und Pergola. Man
spricht von der Nullkommafünf-Millionen-
Luxusvilla eines Lüding-Kompagnons. Übrigens gibt es wirklich noch Gentlemen: das erste, was unser guter Ludwig gesagt hat: daß

Katharina überhaupt nichts mit der Sache zu tun hat; es sei eine rein private Liebesaffäre, die nicht das geringste mit den Straftaten zu tun habe, die man ihm vorwerfe, die er aber nach wie vor abstreite. Wahrscheinlich mußt du ein paar Scheiben ersetzen lassen, Alois – es ist da ganz schön rumgeballert worden. Dein Name ist noch nicht genannt worden, aber vielleicht solltest du doch Maud anrufen, die sicher erregt und trostbedürftig ist. Übrigens hat man gleichzeitig mit Götten an anderen Orten drei seiner angeblichen Komplizen geschnappt. Das ganze gilt als triumphaler Erfolg eines gewissen Kommissars Beizmenne. Und nun mach dich auf die Socken, lieber Alois, und statte zur Abwechslung deiner guten Frau mal einen Herrenbesuch ab.«

Man kann sich vorstellen, daß es an dieser Stelle in Blornas Arbeitszimmer fast zu körperlichen Auseinandersetzungen gekommen wäre, die dem Milieu und der Ausstattung des Raumes keineswegs entsprachen. Sträubleder soll – *soll* – tatsächlich versucht haben, Trude Blorna an die Kehle zu springen, von ihrem Mann aber daran gehindert und drauf hingewiesen worden sein, daß er sich an einer Dame doch nicht vergreifen wolle. Sträubleder soll –

soll – daraufhin gesagt haben, er sei sich nicht
sicher, ob die Definition Dame auf eine so
scharfzüngige Frau noch zutreffe, und es gebe
eben Worte, die man in gewissen Zusammenhängen und vor allem, wenn tragische Ereig-
nisse vermeldet würden, nicht ironisch verwenden dürfe, und wenn er noch einmal, noch
ein einziges Mal das ominöse Wort zu hören
bekomme, dann – ja, was dann – nun, dann sei
es aus. Er hatte das Haus noch kaum verlassen,
und Blorna hatte noch keine Gelegenheit,
Trude zu sagen, sie sei nun doch vielleicht etwas zu weit gegangen, als diese ihm das Wort
regelrecht abschnitt und sagte: »Katharinas
Mutter ist diese Nacht gestorben. Ich habe sie
tatsächlich in Kuir-Hochsackel aufgetrieben.«

41.

Bevor die letzten Um-, Ein-, Ablenkungsma-
növer gestartet werden, muß hier eine sozusagen technische Zwischenbemerkung gestattet
werden. In dieser Geschichte passiert zu viel.
Sie ist auf eine peinliche, kaum zu bewälti-
gende Weise handlungsstark: zu ihrem Nach-
teil. Natürlich ist es ziemlich betrüblich, wenn
eine freiberuflich arbeitende Hausangestellte

einen Journalisten erschießt, und ein solcher
Fall muß aufge- oder wenigstens versuchs-
weise erklärt werden. Aber was macht man
mit Erfolgsanwälten, die einer Hausangestellten wegen den sauer verdienten Skiurlaub ab-
brechen? Mit Industriellen (die im Nebenberuf
Professor und Parteimanager sind), die in einer
schon unreifen Sentimentalität eben dieser
Hausangestellten Schlüssel zu Zweitwohnun-
gen (und sich selbst dazu) geradezu aufdrän-
gen; beides ohne Erfolg, wie man weiß; die ei-
nerseits Publicity wollen, aber nur eine
bestimmte Art; lauter Dinge und Leute, die
einfach nicht synchronisierbar sind und dauernd den Fluß (bzw. den linearen Handlungs-
ablauf) stören, weil sie sozusagen immun sind.
Was macht man mit Kriminalbeamten, die
dauernd nach Zäpfchen verlangen und sie auch
bekommen? Kürzer gesagt: es ist alles zu
durchlässig und doch im entscheidenden
Augenblick für einen Berichterstatter nicht
durchlässig genug, weil zwar das eine oder andere (etwa von Hach und einigen Polizeibeamten und -beamtinnen) zu erfahren ist, aber
nichts, rein gar nichts von dem, was sie sagen,
auch nur andeutungsweise beweiskräftig
wäre, weil es vor keinem Gericht bestätigt

oder auch nur ausgesagt würde. Es hat keine Zeugniskraft! Nicht den geringsten Öffentlichkeitswert. Zum Beispiel diese ganze Zäpfchenaffäre. Das Anzapfen von Telefonleitungen dient natürlich der Ermittlung, das Ergebnis darf aber – da es von einer anderen als der ermittelnden Behörde vorgenommen wird – in einem öffentlichen Verfahren nicht nur nicht verwendet, nicht einmal erwähnt werden. Vor allem: was passiert in der sogenannten Psyche der Telefonzapfer? Was denkt sich ein unbescholtener Beamter, der nichts als seine Pflicht tut, der sozusagen, wenn nicht unter Befehls-, dann aber sicher unter Broterwerbsnotstand seine (ihm möglicherweise widerwärtige) Pflicht tut, was denkt er sich, wenn er mit anhören muß, wie jener unbekannte Hausbewohner, den wir hier kurz den Zärtlichkeitsanbieter nennen wollen, mit einer so ausgesprochen netten, adretten, fast unbescholtenen Person wie Katharina Blum telefoniert? Gerät er in sittliche oder geschlechtliche oder in beide Arten von Erregung? Empört er sich, hat er Mitleid, bereitet es ihm gar ein merkwürdiges Vergnügen, wenn da eine Person, die den Spitznamen »Nonne« trägt, durch heiser hingestöhnte, drohend vorgebrachte

Angebote in den Tiefen ihrer Seele verletzt wird? Nun, es geschieht so vieles im Vordergrund – mehr noch im Hintergrund. Was denkt sich ein harmloser, lediglich sein sauer verdientes Brot erwerbender Anzapfer zum Beispiel, wenn da ein gewisser Lüding, der hier gelegentlich erwähnt wurde, die Chefredaktion der ZEITUNG anruft und etwa sagt: »Sofort S. ganz raus, aber B. ganz rein.« Natürlich wird Lüding nicht angezapft, weil *er* beobachtet werden muß, sondern weil die Gefahr besteht, daß er – etwa von Erpressern, Polit-Gangstern etc. – angerufen wird. Wie soll so ein unbescholtener Mithörer wissen, daß mit S. Sträubleder gemeint ist, mit B. Blorna und daß man in der SONNTAGSZEITUNG nicht mehr über S., aber viel über B. wird lesen können. Und doch – wer soll das schon wissen oder auch nur ahnen – ist Blorna ein von Lüding äußerst geschätzter Anwalt, der fast unzählige Male sein Geschick bewiesen hat, national und international. Nichts anderes ist gemeint, wenn hier an anderer Stelle von Quellen gesprochen worden ist, die »zueinander nicht kommen können«, wie die Königskinder, denen die falsche Nonne die Kerze ausblies – und irgendeiner versank da ziemlich tief, ertrank.

Und da läßt Frau Lüding durch ihre Köchin bei der Sekretärin ihres Mannes anrufen, um herauszubekommen, was Lüding wohl am Sonntag gern zum Nachtisch essen würde: Palatschinken mit Mohn? Erdbeeren mit Eis *und* Sahne oder nur mit Eis oder nur mit Sahne, woraufhin die Sekretärin, die ihren Chef nicht belästigen möchte, seinen Geschmack aber kennt, die aber möglicherweise auch nur Ärger bzw. Umstände verursachen will, der Köchin mit ziemlich spitzer Stimme erklärt, sie sei ganz sicher, daß Herr Lüding an diesem Sonntag Karamelpudding mit Krokantsauce vorziehen würde; die Köchin, die natürlich auch Lüdings Geschmack kennt, widerspricht und sagt, das sei ihr neu, ob die Sekretärin sicher sei, daß sie nicht ihren eigenen Geschmack mit dem des Herrn Lüding verwechsle, und ob sie nicht doch durchstellen könne, damit sie direkt mit Herrn Lüding über seine Nachtischwünsche sprechen könne. Daraufhin die Sekretärin, die gelegentlich mit Herrn Lüding als Konferenzsekretärin unterwegs ist und in irgendwelchen PALACE-Hotels oder Inter-Herbergen mit ihm ißt, behauptet, wenn *sie* mit ihm unterwegs sei, esse er immer Karamelpudding mit Krokantsauce; die Köchin: aber am Sonntag sei er eben nicht mit ihr, der Sekretärin, unterwegs und ob es nicht möglich sei, daß Lüdings Nachtischwünsche eben abhängig seien von der Gesellschaft, in der er sich befinde. Etc. Etc. Schließlich wird noch lange über Palatschinken mit Mohn gestritten – und dieses ganze Gespräch wird auf Kosten des Steuerzahlers auf Tonband aufgenommen! Denkt der Tonbandabspieler, der natürlich genau darauf achten muß, ob hier nicht ein Anarchistencode verwendet worden ist, ob mit Palatschinken nicht etwa Handgranaten und bei Eis mit Erdbeeren Bomben gemeint sind – doch möglicherweise: die haben Sorgen oder: die Sorgen möchte ich haben, denn ihm ist möglicherweise gerade die Tochter durchgebrannt oder der Sohn dem Hasch verfallen oder die Miete mal wieder erhöht worden, und das alles – diese Tonbandaufnahmen – nur, weil gegen Lüding einmal eine Bombendrohung ausgesprochen worden ist; so erfährt ein unschuldiger Beamter oder Angestellter endlich einmal, was Palatschinken mit Mohn sind, er, dem die schon als Hauptmahlzeit genügen würden, wenn auch nur *einer*.

Es passiert zuviel im Vordergrund, und wir wissen nichts von dem, was im Hintergrund passiert. Könnte man sich die Tonbänder mal vorspielen lassen! Um endlich etwas zu erfahren, wie – oder ob überhaupt intim etwa Frau Else Woltersheim mit Konrad Beiters ist. Was bedeutete das Wort Freund, wenn es um die Beziehung dieser beiden geht? Nennt sie ihn Schatz, Liebling, oder sagt sie nur Konrad oder Conny zu ihm; welche Art verbaler Zärtlichkeiten tauschen sie, wenn überhaupt, miteinander aus? Singt er, von dem bekannt ist, daß er einen guten, fast konzert-, aber mindestens chorreifen Bariton hat, ihr vielleicht am Telefon Lieder vor? Serenaden? Schlager? Arien? Oder wird da gar in grober Weise über vergangene oder geplante Intimitäten referiert? Das möchte man doch gern wissen, denn da den meisten Menschen zuverlässige telepathische Verbindungen versagt sind, greifen sie doch zum Telefon, das ihnen zuverlässiger erscheint. Sind sich die vorgesetzten Behörden darüber klar, was sie ihren Beamten und Angestellten da psychisch zumuten? Nehmen wir einmal an, eine vorübergehend verdächtige Person vulgärer Natur, der man ein »Zäpfchen« genehmigt hat, ruft ihren ebenfalls vulgären derzeitigen Liebespartner an. Da wir in einem freien Land leben und frei und offen miteinander sprechen dürfen, auch am Telefon, was kann da einer möglicherweise sittsamen oder gar sittenstrengen Person – ganz gleich welchen Geschlechts – alles um die Ohren sausen oder vom Tonband entgegenflattern? Ist das zu verantworten? Ist die psychiatrische Betreuung gewährleistet? Was sagt die Gewerkschaft Öffentliche Dienste, Transport und Verkehr *dazu*? Da kümmert man sich um Industrielle, Anarchisten, Bankdirektoren, -räuber und -angestellte, aber wer kümmert sich um unsere nationalen Tonbandstreitkräfte? Haben die Kirchen dazu nichts zu sagen. Fällt der Fuldaer Bischofskonferenz oder dem Zentralkomitee deutscher Katholiken denn gar nichts mehr ein? Warum schweigt der Papst dazu? Ahnt denn keiner, was hier unschuldigen Ohren alles zwischen Karamelpudding und härtestem Porno zugemutet wird? Da werden junge Menschen aufgefordert, die Beamtenlaufbahn zu ergreifen – und wem werden sie ausgeliefert? Telefonsittenstrolchen. Hier ist endlich ein Gebiet, wo Kirchen und Gewerkschaften zusammenarbeiten könnten. Man könnte doch mindestens eine Art Bildungsprogramm für Abhörer planen. Tonbänder mit Geschichtsunterricht. Das kostet nicht viel.

42

Nun kehrt man reumütig in den Vordergrund zurück, begibt sich wieder an die unvermeidliche Kanalarbeit, und muß schon wieder mit einer Erklärung beginnen! Es war hier versprochen worden, daß kein Blut mehr fließen sollte, und es wird Wert darauf gelegt, festzustellen, daß mit dem Tod der Frau Blum, Katharinas Mutter, dieses Versprechen nicht gerade gebrochen wird. Es handelt sich ja nicht um eine Bluttat, wenn auch nicht um einen ganz normalen Sterbefall. Der Tod der Frau Blum wurde zwar gewaltsam herbeigeführt, aber unbeabsichtigt gewaltsam. Jedenfalls — das muß festgehalten werden — hatte der Todesherbeiführer weder mörderische noch totschlägerische, nicht einmal körperverletzende Absichten. Es handelt sich, wie nicht nur nachgewiesen, sondern sogar von jenem zugegeben wurde, um eben jenen Tötges, der selbst allerdings ein blutiges, beabsichtigt gewaltsames Ende fand. Tötges hatte schon am Donnerstag in Gemmelsbroich nach der Adresse von Frau Blum geforscht, diese auch erfahren, aber vergebens versucht, zu ihr ins Krankenhaus vorzudringen. Er war vom Pförtner, von der Stationsschwester Edelgard und vom leitenden Arzt Dr. Heinen drauf aufmerksam gemacht worden, daß Frau Blum nach einer schweren, aber erfolgreichen Krebsoperation sehr ruhebedürftig sei; daß ihre Genesung geradezu davon abhängig sei, daß sie keinerlei Aufregungen ausgesetzt werde und ein Interview nicht in Frage käme. Den Hinweis, Frau Blum sei durch die Verbindung ihrer Tochter zu Götten ebenfalls »Person der Zeitgeschichte«, konterte der Arzt mit dem Hinweis, auch Personen der Zeitgeschichte seien für ihn zunächst Patienten. Nun hatte Tötges während dieser Gespräche festgestellt, daß im Hause Anstreicher wirkten, und sich später Kollegen gegenüber geradezu damit gebrüstet, daß es ihm durch Anwendung des »simpelsten aller Tricks, nämlich des Handwerkertricks« – indem er sich einen Kittel, einen Farbtopf und einen Pinsel besorgte –, gelungen sei, am Freitagmorgen dennoch zu Frau Blum vorzudringen, denn nichts sei so ergiebig wie Mütter, auch kranke; er habe Frau Blum mit den Fakten konfrontiert, sei nicht ganz sicher, ob sie das alles kapiert habe, denn Götten sei ihr offenbar kein Begriff gewesen, und sie habe gesagt: »Warum mußte das so enden, warum mußte das so kommen?«, woraus er in der ZEITUNG machte: »So mußte es ja kommen, so mußte es ja enden.« Die kleine Veränderung der Aussage von Frau Blum erklärte er damit, daß er als Reporter drauf eingestellt und gewohnt sei, »einfachen Menschen Artikulationshilfe zu geben«.

43.

Es war nicht einmal mit Gewißheit zu ermitteln, ob Tötges tatsächlich bis zu Frau Blum durchgedrungen war oder ob er, um die in der ZEITUNG zitierten Sätze von Katharinas Mutter als Ergebnis eines Interviews ausgeben zu können, seinen Besuch erlogen bzw. erfunden hat, um seine journalistische Cleverness oder Tüchtigkeit zu beweisen und nebenher ein bißchen anzugeben. Dr. Heinen, Schwester Edelgard, eine spanische Krankenschwester namens Huelva, eine portugiesische Putzfrau namens Puelco – alle halten es für ausgeschlossen, daß »dieser Kerl tatsächlich die Frechheit besessen haben könnte, das zu tun« (Dr. Heinen). Nun ist zweifellos nicht nur der, wenn auch möglicherweise erfundene, aber zugegebene Besuch bei Katharinas Mutter ganz gewiß ausschlaggebend gewesen, und es fragt sich natürlich, ob das Krankenhauspersonal einfach leugnet, was nicht sein durfte, oder Tötges, um die Zitate von Katharinas Mutter als wörtlich zu decken, den Besuch bei ihr erfand. Hier soll absolute Gerechtigkeit walten. Es gilt als erwiesen, daß Katharina sich ihr Kostüm schneiderte, um in eben jene Kneipe, aus der der unglückselige Schönner »mit einer Bumme abgehauen« war, Recherchen anzustellen, *nachdem* sie das Interview mit Tötges bereits verabredet hatte und *nachdem* die SONNTAGSZEITUNG einen weiteren Bericht von Tötges publiziert hatte. Man muß also abwarten. Sicher ist, nachgewiesen, belegt geradezu, daß Dr. Heinen überrascht war vom plötzlichen Tod seiner Patientin Maria Blum, und daß er »unvorhergesehene Einwirkungen, wenn nicht nachweisen, so doch auch nicht ausschließen kann«. Unschuldige Anstreicher sollen hier keinesfalls verantwortlich gemacht werden. Die Ehre des deutschen Handwerks darf nicht befleckt werden: weder Schwester Edelgard noch die ausländischen Damen Huelva und Puelco können dafür garantieren, daß alle Anstreicher – es waren vier von der Firma Merkens aus Kuir – wirklich Anstreicher waren, und da die vier an verschiedenen Stellen arbeiteten, kann niemand wirklich wissen, ob da nicht einer mit Kittel, Farbtopf und Pinsel ausgestattet sich eingeschlichen hat. Fest steht: Tötges hat *behauptet* (von zugegeben kann nicht gesprochen werden, da sein Besuch nicht wirklich nachweisbar ist), bei Maria Blum gewesen zu sein und sie interviewt zu haben, und diese Behauptung ist Katharina bekannt geworden. Herr Merkens hat auch zugegeben, daß natürlich nicht immer alle vier Anstreicher gleichzeitig anwesend waren, und daß, *wenn* jemand sich hätte einschleichen wollen, das eine Kleinigkeit gewesen wäre. Dr. Heinen hat später gesagt, er würde die ZEITUNG auf das veröffentlichte Zitat von Katharinas Mutter hin anzeigen, einen Skandal hervorrufen, denn das sei, wenn wahr, ungeheuerlich – aber seine Drohung blieb so wenig ausgeführt wie das »In-die-Fresse-hauen«, das Blorna Sträubleder angedroht hatte.

44

Gegen Mittag jenes Samstags, des 23. Februar 1974, trafen im Café Kloog in Kuir (es handelt sich um einen Neffen jenes Gastwirts, bei dem Katharina als junge Frau gelegentlich in der Küche und als Serviererin aushalf) die Blornas, Frau Woltersheim, Konrad Beiters und Katharina endlich zusammen. Es fanden Umarmungen statt und es flossen Tränen, sogar von Frau Blorna. Natürlich herrschte auch im Café Kloog Karnevalsstimmung, aber der Besitzer, Erwin Kloog, der Katharina kannte, duzte und schätzte, stellte den Versammelten sein privates Wohnzimmer zur Verfügung. Von dort aus telefonierte Blorna zunächst mit Hach und sagte die Verabredung für den Nachmittag im Foyer des Museums ab. Er teilte Hach mit, daß Katharinas Mutter wahrscheinlich infolge eines Besuchs von Tötges von der ZEITUNG unerwartet gestorben sei. Hach war milder als am Morgen, bat, Katharina, die ihm gewiß nicht grolle, wozu sie auch keinen Grund habe, sein persönliches Beileid auszusprechen. Im übrigen stehe er jederzeit zur Verfügung. Er sei zwar jetzt sehr beschäftigt mit den Vernehmungen von Götten, werde sich aber freima-

chen; im übrigen habe sich aus den Vernehmungen Göttens bisher nichts Belastendes für
Katharina ergeben. Er habe mit großer Zuneigung und fair von ihr und über sie gesprochen.
Eine Besuchserlaubnis sei allerdings nicht zu
erwarten, da keine Verwandtschaft vorliege
und die Definition »Verlobte« sich bestimmt
als zu vage herausstellen und nicht stichhaltig
würde.

Es sieht ganz so aus, als sei Katharina bei der
Nachricht vom Tode ihrer Mutter nicht gerade
zusammengebrochen. Es scheint fast, als wäre
sie erleichtert gewesen. Natürlich konfrontierte Katharina Dr. Heinen mit der Ausgabe
der ZEITUNG, in der das Tötges-Interview erwähnt und ihre Mutter zitiert wurde, sie teilte
aber keineswegs Dr. Heines Empörung über
das Interview, sondern meinte, diese Leute
seien Mörder und Rufmörder, sie verachte das
natürlich, aber offenbar sei es doch geradezu
die Pflicht dieser Art Zeitungsleute, unschuldige Menschen um Ehre, Ruf und Gesundheit
zu bringen. Dr. Heinen, der irrigerweise eine
Marxistin in ihr vermutete (wahrscheinlich
hatte auch er die Anspielungen von Brettloh,
Katharinas Geschiedenem, in der ZEITUNG
gelesen), war ein wenig erschrocken über ihre

Kühle und fragte sie, ob sie das – diese ZEI-
TUNGSmasche – für ein Strukturproblem
halte. Katharina wußte nicht, was er meinte,
und schüttelte den Kopf. Sie ließ sich dann von
Schwester Edelgard in die Leichenkammer
führen, die sie gemeinsam mit Frau Woltersheim betrat. Katharina zog selbst das Leichen-
tuch vom Gesicht ihrer Mutter, sagte »Ja«,
küßte sie auf die Stirn; als sie von Schwester
Edelgard aufgefordert wurde, ein kurzes Gebet
zu sprechen, schüttelte sie den Kopf und sagte
»Nein«. Sie zog das Tuch wieder über das Gesicht ihrer Mutter, bedankte sich bei der
Nonne, und erst während sie die Leichenkammer verließ, fing sie an zu weinen, erst leise,
dann heftiger, schließlich hemmungslos. Vielleicht dachte sie auch an ihren verstorbenen
Vater, den sie als sechsjähriges Kind ebenfalls
in der Leichenkammer eines Krankenhauses
zuletzt gesehen hatte. Else Woltersheim fiel
ein oder besser auf: daß sie Katharina noch nie
hatte weinen gesehen, auch nicht als Kind,
wenn sie in der Schule zu leiden hatte oder Mi-
lieukummer sie bedrückte. In sehr höflicher
Weise, fast liebenswürdig bestand Katharina
darauf, sich auch bei den ausländischen Damen
Huelva und Puelco für alles zu bedanken, was

sie für ihre Mutter getan hatten. Sie verließ das Krankenhaus gefaßt, vergaß auch nicht, ihren einsitzenden Bruder Kurt telegrafisch durch die Verwaltung des Krankenhauses verständigen zu lassen.

So blieb sie den ganzen Nachmittag und den Abend über: gefaßt. Obwohl sie immer wieder die beiden Ausgaben der ZEITUNG hervorholte, die Blornas, Else W. und Konrad B. mit sämtlichen Details und ihrer Interpretation dieser Details konfrontierte, schien auch ihr Verhältnis zur ZEITUNG ein anderes geworden zu sein. Zeitgemäß ausgedrückt: weniger emotional, mehr analytisch. In diesem ihr vertrauten und freundschaftlich gesonnenen Kreis, in Erwin Kloogs Wohnzimmer, sprach sie auch offen über ihr Verhältnis zu Sträubleder: er habe sie einmal nach einem Abend bei Blornas nach Hause gebracht, sie, obwohl sie das strikt, fast mit Ekel abgelehnt habe, bis an die Haustür, dann sogar in ihre Wohnung begleitet, indem er einfach den Fuß zwischen die Tür gesetzt habe. Nun, er habe natürlich versucht, zudringlich zu werden, sei wohl beleidigt gewesen, weil sie ihn gar nicht unwiderstehlich fand, und sei schließlich – es war schon nach Mitternacht – gegangen. Von diesem Tag an habe er sie regelrecht verfolgt, sei immer wiedergekommen, habe Blumen geschickt, Briefe geschrieben, und es sei ihm einige Male gelungen, zu ihr in die Wohnung vorzudringen, bei dieser Gelegenheit habe er ihr den Ring einfach aufgedrängt. Das sei alles. Sie habe deshalb seine Besuche nicht zugegeben bzw. seinen Namen nicht preisgegeben, weil sie es für unmöglich angesehen habe, den vernehmenden Beamten zu erklären, daß nichts, rein gar nichts, nicht einmal ein einziger Kuß zwischen ihnen gewesen sei. Wer würde ihr schon glauben, daß sie einem Menschen wie Sträubleder widerstehen würde, der ja nicht nur wohlhabend sei, sondern in Politik, Wirtschaft und Wissenschaft seines unwiderstehlichen Charmes wegen geradezu berühmt sei, fast wie ein Filmschauspieler, und wer würde einer Hausangestellten wie ihr schon glauben, daß sie einem Filmschauspieler widerstehen würde, und nicht einmal aus moralischen, sondern aus Geschmacksgründen? Er habe einfach nicht den geringsten Reiz auf sie ausgeübt, und sie empfinde diese ganze Herrenbesuchsgeschichte als das scheußlichste Eindringen in eine Sphäre, die sie nicht als Intimsphäre bezeichnen möchte, weil das mißverständlich sei, denn sie sei ja nicht andeutungsweise intim mit Sträubleder geworden – sondern weil er sie in eine Lage gebracht habe, die sie niemand, schon gar nicht einem Vernehmungskommando hätte erklären können. Letzten Endes aber – und hier lachte sie – habe sie doch eine gewisse Dankbarkeit für ihn empfunden, denn der Schlüssel zu seinem Haus sei für Ludwig wichtig gewesen, oder wenigstens die Adresse, denn – hier lachte sie wieder – Ludwig wäre gewiß auch ohne Schlüssel dort eingedrungen, aber der Schlüssel habe es natürlich erleichtert, und sie habe auch gewußt, daß die Villa über Karneval unbenutzt sei, denn gerade zwei Tage vorher habe Sträubleder sie wieder einmal aufs äußerste belästigt, geradezu bedrängt und ihr ein Karnevalswochenende dort vorgeschlagen, bevor er die Teilnahme an der Tagung in Bad B. zugesagt habe. Ja, Ludwig habe ihr gesagt, daß er von der Polizei gesucht würde, er habe ihr aber nur gesagt, daß er Bundeswehrdeserteur sei und dabei, sich ins Ausland abzusetzen, und – zum drittenmal lachte sie – es habe ihr Spaß gemacht, ihn eigenhändig in den Heizungsschacht zu expedieren und auf den Notausstieg zu verweisen, der am Ende von »Elegant am Strom wohnen« an der Ecke zur Hochkeppelstraße ans Tageslicht führe. Nein, sie habe zwar nicht geglaubt, daß die Polizei sie und Götten überwache, sondern sie habe das als eine Art Räuber- und Gendarmromantik angesehen, und erst am Morgen – tatsächlich sei Ludwig schon um sechs Uhr früh weggegangen – habe sie zu spüren bekommen, wie ernst das ganze gewesen sei. Sie zeigte sich erleichtert darüber, daß Götten verhaftet sei, nun, sagte sie, könne er keine Dummheiten mehr machen. Sie habe die ganze Zeit über Angst gehabt, denn dieser Beizmenne sei ihr unheimlich.

45.

Es muß hier festgestellt und festgehalten werden, daß Samstagnachmittag und -abend fast nett verliefen, so nett, daß alle – die Blornas, Else Woltersheim und der merkwürdig stille Konrad Beiters – ziemlich beruhigt waren. Schließlich empfand man – und sogar Katharina selbst – die »Lage als entspannt«. Götten verhaftet, die Vernehmungen von Katharina abgeschlossen, Katharinas Mutter, wenn auch vorzeitig, von einem schweren Leiden erlöst, die Beerdigungsformalitäten waren eingeleitet, alle erforderlichen Dokumente in Kuir für den Rosenmontag versprochen, an dem ein Verwaltungsangestellter sich freundlicherweise bereit erklärt hatte, sie trotz des Feiertages auszustellen. Schließlich bestand auch ein gewisser Trost darin, daß der Caféhausbesitzer Erwin Kloog, der jede Bezahlung des Verzehrten (es handelte sich um Kaffee, Liköre, Kartoffelsalat, Würstchen und Kuchen) strikt ablehnte, beim Abschied sagte: »Kopf hoch, Kathrinchen, nicht alle hier denken schlecht von dir.« Der Trost, der in diesen Worten verborgen war, mochte relativ sein, denn was heißt schon »nicht alle«? – aber immerhin waren es eben »nicht alle«. Man einigte sich darauf, zu Blornas zu fahren und dort den Rest des Abends zu verbringen. Dort wurde Katharina striktestens verboten, ihre ordnende Hand anzulegen, sie habe Urlaub und sollte sich entspannen. Es war Frau Woltersheim, die in der Küche Brote zurechtmachte, während Blorna und Beiters sich gemeinsam um den Kamin kümmerten. Tatsächlich ließ Katharina sich »einmal verwöhnen«. Es wurde später richtig nett, und wäre da nicht ein Todesfall und die Verhaftung eines sehr lieben Menschen gewesen, man hätte gewiß zu vorgerückter Stunde ein Tänzchen riskiert, denn immerhin war Karneval.

Es gelang Blorna nicht, Katharina von dem geplanten Interview mit Tötges abzubringen. Sie blieb ruhig und sehr freundlich, und später – nachdem das Interview sich als »Interview« erwiesen hatte – lief es Blorna, wenn er zurückblickte, kalt den Rücken hinunter, wenn er bedachte, mit welch entschlossener Kaltblütigkeit Katharina auf dem Interview bestanden und wie entschieden sie seinen Beistand abgelehnt hatte. Und doch war er später nicht ganz sicher, daß Katharina an diesem Abend schon zum Mord entschlossen war. Viel wahrscheinlicher erschien ihm, daß die SONNTAGSZEITUNG den Ausschlag gegeben hatte. Man trennte sich friedlich, wieder mit Umarmungen, diesmal ohne Tränen, nachdem man miteinander sowohl ernste wie leichte Musik gehört und Katharina wie Else Woltersheim ein wenig vom Leben in Gemmelsbroich und Kuir erzählt hatten. Es war erst halb elf abends, als Katharina, Frau Woltersheim und Beiters sich unter Versicherungen großer Freundschaft und Sympathie von den Blornas trennten, die sich glücklich priesen, doch noch rechtzeitig – rechtzeitig für Katharina – zurückgekommen zu sein. Am erlöschenden Kaminfeuer erörterten sie bei einer Flasche Wein neue Urlaubspläne und den Charakter ihres Freundes Sträubleder und seiner Frau Maud. Als Blorna seine Frau bat, doch bei künftigen Besuchen das Wort »Herrenbesuch« nicht mehr zu gebrauchen, sie müsse doch einsehen, daß es zu einem neuralgischen Wort geworden sei, sagte Trude Blorna: »Den werden wir so bald nicht wiedersehen.«

46.

Es ist verbürgt, daß Katharina den Rest des Abends ruhig verbrachte. Sie probierte ihr Beduinenkostüm noch einmal an, verstärkte einige Nähte und entschloß sich, anstelle eines Schleiers ein weißes Taschentuch zu verwenden. Man hörte noch ein wenig Radio miteinander, aß ein wenig Gebäck und begab sich dann zur Ruhe. Beiters, indem er zum erstenmal offen mit Frau Woltersheim in deren Schlafzimmer ging, Katharina, indem sie es sich auf der Couch bequem machte.

47

Als Else Woltersheim und Konrad Beiters am Sonntagmorgen aufstanden, war der Frühstückstisch aufs freundlichste gedeckt, der Kaffee schon in die Thermoskanne gefiltert und Katharina, die mit offensichtlichem Appetit schon frühstückte, saß am Wohnzimmertisch und las die SONNTAGSZEITUNG. Es soll hier kaum noch referiert, fast nur noch zitiert werden. Zugegeben, Katharinas »story« war nicht mehr mit Foto auf der Titelseite. Auf der Titelseite war diesmal Ludwig Götten mit der Überschrift: »Der zärtliche Liebhaber von Katharina Blum in Industriellen-Villa gestellt.« Die story selbst war umfangreicher als bisher auf den Seiten 7–9 mit zahlreichen Bildern: Katharina als Erstkommunikantin, ihr Vater als heimkehrender Gefreiter, die Kirche in Gemmelsbroich, noch einmal die Villa von Blornas. Katharinas Mutter als etwa Vierzigjährige, ziemlich vergrämt, fast verkommen wirkend vor dem winzigen Häuschen in Gemmelsbroich, in dem sie gewohnt hatten, schließlich ein Foto des Krankenhauses, in dem Katharinas Mutter in der Nacht von Freitag auf Samstag gestorben war. Der Text:

Als erstes nachweisbares Opfer der undurchsichtigen, immer noch auf freiem Fuß befindlichen Katharina Blum kann man jetzt ihre eigene Mutter bezeichnen, die den Schock über die Aktivitäten ihrer Tochter nicht überlebte. Ist es schon merkwürdig genug, daß die Tochter, während ihre Mutter im Sterben lag, mit inniger Zärtlichkeit mit einem Räuber und Mörder auf einem Ball tanzte, so grenzt es doch schon ans extrem Perverse, daß sie bei dem Tod keine Träne vergoß. Ist diese Frau wirklich nur »eiskalt und berechnend«? Die Frau eines ihrer früheren Arbeitgeber, eines angesehenen Landarztes, beschreibt sie so: »Sie hatte so eine richtig nuttige Art. Ich mußte sie entlassen, meiner heranwachsenden Söhne, unserer Patienten und auch um des Ansehens meines Mannes willen.« War Katharina B. etwa auch an den Unterschlagungen des berüchtigten Dr. Fehnern beteiligt? (Die ZEITUNG berichtete seinerzeit über diesen Fall.) War ihr Vater ein Simulant? Warum wurde ihr Bruder kriminell? Immer noch ungeklärt: ihr rascher Aufstieg und ihre hohen Einkünfte. Nun steht endgültig fest: Katharina Blum hat dem blutbefleckten Götten zur Flucht verholfen, sie hat das freundschaftliche

Vertrauen und die spontane Hilfsbereitschaft eines hochangesehenen Wissenschaftlers und Industriellen schamlos mißbraucht. Es liegen inzwischen der ZEITUNG Informationen vor, die fast schlüssig beweisen: nicht sie erhielt Herrenbesuch, sondern sie stattete unaufgefordert Damenbesuch ab, um die Villa auszubaldowern. Die geheimnisvollen Autofahrten der Blum sind nun nicht mehr so geheimnisvoll. Sie setzte den Ruf eines ehrenwerten Menschen, dessen Familienglück, seine politische Karriere – über die die ZEITUNG schon mehrfach berichtet hat – skrupellos aufs Spiel, gleichgültig gegenüber den Gefühlen einer loyalen Ehefrau und den vier Kindern. Offenbar sollte die Blum im Auftrag einer Linksgruppe die Karriere von S. zerstören.

Will die Polizei, will die Staatsanwaltschaft tatsächlich dem schandebedeckten Götten glauben, der die Blum voll entlastet? Die ZEITUNG erhebt zum wiederholten Male die Frage: Sind unsere Vernehmungsmethoden nicht doch zu milde? Soll man gegen Unmenschen menschlich bleiben müssen?

Unter den Bildern von Blorna, Frau Blorna und der Villa:

In diesem Haus arbeitete die Blum von sieben

bis sechzehn Uhr dreißig selbständig, unbewacht, mit dem vollen Vertrauen von Dr. Blorna und Frau Dr. Blorna. Was mag sich hier alles abgespielt haben, während die ahnungslosen Blornas ihrem Beruf nachgingen? Oder waren sie nicht so ahnungslos? Ihr Verhältnis zur Blum wird als sehr vertraut, fast vertraulich bezeichnet. Nachbarn erzählten Zeitungsreportern, man könne fast von einem freundschaftlichen Verhältnis sprechen. Gewisse Andeutungen übergehen wir hier, da sie nicht zur Sache gehören. Oder doch? Welche Rolle spielte Frau Dr. Gertrud Blorna, die in den Annalen einer angesehenen TH heute noch als die »rote Trude« bekannt ist? Wie konnte Götten aus der Wohnung der Blum entkommen, obwohl ihm die Polizei auf den Fersen war? Wer kannte die Konstruktionspläne des Appartementhauses »Elegant am Strom wohnen« bis ins letzte Detail? Frau Blorna. Die Verkäuferin Hertha Sch. und die Arbeiterin Claudia St. sagten übereinstimmend zur ZEITUNG: »Die, wie die miteinander tanzten (gemeint sind die Blum und der Bandit Götten) – als hätten sie sich schon ewig gekannt. Das war kein zufälliges Treffen, das war ein Wiedersehen.«

48

Als Beizmenne später intern kritisiert wurde,
weil er Götten, von dessen Aufenthalt in der
Sträublederschen Villa er schon seit Donners-
tagabend 23.30 Uhr wußte, fast achtundvierzig
Stunden unbehelligt gelassen und damit ein
weiteres Entkommen Göttens riskiert hatte,
lachte er und sagte, Götten habe schon ab
Donnerstag um Mitternacht keine Chance
mehr gehabt zu entkommen. Das Haus liege
im Wald, sei aber auf eine geradezu ideale
Weise von Hochsitzen »wie von Wachtürmen«
umgeben, der Innenminister sei voll informiert und mit allen Maßnahmen einverstanden gewesen; es sei per Hubschrauber, der natürlich nicht in Hörnähe gelandet sei, sofort
ein Spezialtrupp in Marsch gesetzt, auf die
Hochsitze verteilt worden, am anderen Morgen sei die lokale Polizeidienststelle durch
weitere zwei Dutzend Beamte auf die diskre-
teste Weise verstärkt worden. Das wichtigste
wäre gewesen, Göttens Kontaktversuche zu
beobachten, und der Erfolg habe das Risiko gerechtfertigt. Es seien fünf Kontakte ausge-
macht worden. Und man habe natürlich diese
fünf Kontaktpersonen erst stellen und fest-

nehmen, ihre Wohnungen durchsuchen müssen, bevor man Götten festnahm. Man habe bei diesem erst zugegriffen, als er auskontaktiert gewesen sei und leichtsinniger- oder frecherweise sich so sicher gefühlt habe, daß man ihn von außen habe beobachten können. Einige wichtige Details verdanke er übrigens den Reportern der ZEITUNG, dem dazu gehörenden Verlag und den mit diesem Haus verbundenen Organen, die nun einmal lockere und nicht immer konventionelle Methoden hätten, Einzelheiten zu erfahren, die amtlichen Rechercheuren verborgen blieben. So habe sich zum Beispiel herausgestellt, daß Frau Woltersheim ebensowenig ein unbeschriebenes Blatt sei wie Frau Blorna. Die Woltersheim sei 1930 als uneheliches Kind einer Arbeiterin in Kuir geboren. Die Mutter lebe noch, und zwar wo? In der DDR, und das keineswegs gezwungenermaßen, sondern freiwillig; es sei ihr mehrmals, erstmalig 1945, noch einmal 1952, ein weiteres Mal 1961 kurz vor dem Mauerbau angeboten worden, in ihre Heimat Kuir zurückzukommen, wo sie ein kleines Haus und einen Morgen Land besitze. Aber sie habe – und das dreimal und alle drei Male ausdrücklich – abgelehnt. Noch ein paar

Stufen interessanter sei der Vater der Woltersheim, ein gewisser Lumm, ebenfalls Arbeiter,
außerdem Mitglied der damaligen KPD, der
1932 in die Sowjetunion emigriert sei und dort
angeblich verschollen sei. Er, Beizmenne,
nehme an, auf den Vermißtenlisten der Deutschen Wehrmacht sei diese Art von Verschol-
lenen nicht zu finden.

49.

Da man nicht sicher sein kann, daß bestimmte,
relativ deutliche Hinweise auf Handlungs- und
Tatzusammenhänge nicht doch möglicherweise als bloße Andeutungen verlorengehen
oder mißverstanden werden, sollte man hier
doch noch einen Hinweis gestatten: Die ZEI-
TUNG, die ja durch ihren Reporter Tötges den
zweifellos verfrühten Tod von Katharinas
Mutter verursachte, stellte nun in der SONN-
TAGSZEITUNG Katharina als am Tode ihrer
Mutter schuldig dar und bezichtigte sie außerdem – eben nur mehr oder weniger offen – des
Diebstahls an Sträubleders Schlüssel zu dessen
Zweitvilla! Das sollte doch noch einmal her-
vorgehoben werden, denn man kann da nie sicher sein. Auch nicht ganz sicher, ob man alle

Verleumdungen, Lügen, Verdrehungen der ZEITUNG richtig kapiert.

Es sei hier am Beispiel Blorna dargestellt, *wie* die ZEITUNG sogar auf relativ rationale Menschen wirken konnte. In dem Villenvorort, in dem Blornas wohnten, wurde natürlich die SONNTAGSZEITUNG nicht verkauft. Dort las man Edlercs. So kam es, daß Blorna, der glaubte, es sei ja nun alles vorbei, und der nur ein wenig bange auf Katharinas Gespräch mit Tötges wartete, erst am Mittag, als er bei Frau Woltersheim anrief, von dem Artikel in der SONNTAGSZEITUNG erfuhr. Die Woltersheim ihrerseits hatte es als selbstverständlich angesehen, daß Blorna die SONNTAGSZEITUNG schon gelesen habe. Nun hat man doch hoffentlich begriffen, daß Blorna ein zwar herzlicher, ehrlich um Katharina besorgter, aber auch ein nüchterner Mensch war. Als er nun sich von Frau Woltersheim die entsprechenden Passagen aus der SONNTAGSZEITUNG am Telefon vorlesen ließ, traute er – wie man das so nennt – seinen Sinnen nicht (in diesem Fall nur einem Sinn: dem Gehör) – er ließ sich das noch einmal vorlesen, mußte es dann wohl glauben, und – so nennt man es wohl – es platzte ihm regelrecht der Kragen. Er schrie, brüllte, suchte in der Küche nach einer leeren Flasche, fand eine, rannte damit in die Garage, wo er zum Glück von seiner Frau gestellt und daran gehindert wurde, einen regelrechten Molotow-Cocktail zu basteln, den er in die Redaktion der ZEITUNG und später einen zweiten in Sträubleders »Erstvilla« werfen wollte. Man muß sich das vor Augen führen: ein akademisch gebildeter Mensch von zweiundvierzig Jahren, der seit sieben Jahren Lüdings Achtung, Sträubleders Respekt wegen seiner nüchternen und klaren Verhandlungsführung hatte – und das international sowohl in Brasilien wie in Saudi-Arabien wie in Nordirland – also es handelte sich keineswegs um einen provinziellen, sondern um einen durch und durch weltläufigen Menschen; *der* wollte Molotow-Cocktails basteln!

Frau Blorna erklärte das kurzerhand als spontan-kleinbürgerlich-romantischen Anarchismus, besprach ihn regelrecht, so wie man eine kranke oder wunde Körperstelle *bespricht*, griff selbst zum Telefon, ließ sich von Frau Woltersheim die entsprechenden Passagen vorlesen, und es muß hier gesagt werden: sie wurde ziemlich blaß, sogar sie, und sie tat etwas, das vielleicht schlimmer war als Molotow-Cocktails je sein können, sie griff zum Telefon, rief Lüding an (der um diese Zeit gerade über seinen Erdbeeren *mit* Sahne und *mit* Vanilleeis saß) und sagte einfach zu ihm: »Sie Schwein, Sie elendes Ferkel.« Sie nannte zwar ihren Namen nicht, doch man kann voraussetzen, daß alle Bekannten von Blornas die Stimme seiner Frau, die um ihrer treffenden und scharfen Bemerkungen willen berüchtigt war, kannten. Das wiederum ging ihrem Mann zu weit, der glaubte, sie habe mit Sträubleder telefoniert. Nun, es kam da noch zu verschiedenen Krächen, selbst zwischen Blornas, zwischen Blornas und anderen, aber da dabei niemand umgebracht wurde, soll man gestatten, daß darüber hinweggegangen wird. Diese an sich unwichtigen, wenn auch beabsichtigten Folgen der SONNTAGSZEITUNG werden hier nur erwähnt, damit man weiß, wie sogar gebildete und etablierte Menschen empört waren und Gewalttaten gröbster Art erwogen.

Erwiesen ist, daß Katharina um diese Zeit – so gegen zwölf Uhr –, nachdem sie sich eineinhalb Stunden unerkannt dort aufgehalten und wahrscheinlich Informationen über Tötges gesammelt hatte, das Journalistenlokal »Zur

Goldente« verlassen hatte und in ihrer Wohnung auf Tötges, der etwa eine Viertelstunde später eintraf, wartete. Über das »Interview« braucht ja wohl nichts mehr gesagt zu werden. Man weiß, wie das ausging. (Siehe Seite 12.)

50.

Um die überraschende – *alle* Beteiligten überraschende Auskunft des Pfarrers von Gemmelsbroich, Katharinas Vater sei ein verkappter Kommunist gewesen, auf ihren Wahrheitsgehalt zu prüfen, fuhr Blorna für einen Tag in dieses Dorf. Zunächst: der Pfarrer bekräftigte seine Aussage, gab zu, daß die ZEITUNG ihn wörtlich und richtig zitiert habe, Beweise für seine Behauptung könnte er keine bringen, wollte er auch nicht, sagte sogar, die *brauche* er nicht, er könne sich auf seinen Geruchsinn immer noch verlassen, und er habe einfach gerochen, daß Blum ein Kommunist sei. Definieren wollte er seinen Geruchssinn nicht, war auch nicht sehr hilfsbereit, als Blorna ihn bat, ihm doch zu erklären, wenn er schon seinen Geruchsinn nicht definieren könne, *wie* denn nun der Geruch eines Kommunisten sei, sozusagen, *wie* ein Kommunist denn rieche, und hier nun – es muß leider gesagt werden – wurde der Pfarrer ziemlich unhöflich, fragte Blorna, ob dieser katholisch sei, und als jener das bejahte, verwies ihn der Pfarrer auf seine Gehorsamspflicht, was Blorna nicht verstand. Natürlich hatte er von da an Schwierigkeiten bei den Recherchen über die Blums, die nicht sonderlich beliebt gewesen zu sein schienen; er hörte Schlimmes über Katharinas verstorbene Mutter, die tatsächlich einmal in Gesellschaft des inzwischen entlassenen Küsters *eine* Flasche Meßwein in der Sakristei geleert hatte, hörte Schlimmes über Katharinas Bruder, der eine regelrechte Plage gewesen sei, aber das einzige, den Kommunismus von Katharinas Vater belegende Zitat war eine von jenem im Jahre 1949 in einer der sieben Kneipen des Dorfes dem Bauern Scheumel gegenüber getane Äußerung, die gelautet haben sollte, »Der Sozialismus ist gar nicht das schlechteste«. Mehr war nicht herauszukriegen. Das einzige, was Blorna erntete, war, daß er am Ende seiner mißglückten Recherchen im Dorf selbst als Kommunist nicht gerade beschimpft, aber bezeichnet wurde, und zwar, was ihn besonders schmerzlich überraschte, durch eine Dame, die ihm bis dato eine gewisse Hilfe, fast sogar Sympathie entgegengebracht hatte: die pensionierte Lehrerin Elma Zubringer, die ihn, als er sich von ihr verabschiedete, spöttisch anlächelte, ihm sogar zuzwinkerte und sagte: »Warum geben Sie nicht zu, daß Sie selbst einer von denen sind – und Ihre Frau erst recht.«

51.

Es kann hier leider die eine oder andere Gewalttätigkeit nicht verschwiegen werden, die sich ergab, während Blorna sich auf den Prozeß gegen Katharina vorbereitete. Den größten Fehler beging er, als er auf Katharinas Bitten auch die Verteidigung Göttens übernahm und immer wieder versuchte, für die beiden gegenseitige Besuchserlaubnis zu erwirken, da er darauf bestand, sie seien verlobt. Es habe eben an jenem fraglichen Abend des zwanzigsten Februar und in der darauffolgenden Nacht die Verlobung stattgefunden. Etc. Etc. Man kann sich ausmalen, was die ZEITUNG alles über ihn, über Götten, über Katharina, über Frau Blorna schrieb. Das soll hier nicht alles erwähnt oder zitiert werden. Gewisse Niveauverletzungen oder -verlassungen sollen nur dann vorgenommen werden, wenn sie not-

wendig sind, und hier sind sie nicht notwen-
dig, weil man ja inzwischen die ZEITUNG
wohl kennt. Es wurde das Gerücht ausge-
streut, Blorna wolle sich scheiden lassen, ein
Gerücht, an dem nichts, aber auch gar nichts
wahr war, das aber dennoch zwischen den Ehe-
leuten ein gewisses Mißtrauen säte. Es wurde
behauptet, es ginge ihm finanziell dreckig, was
schlimm war, weil es zutraf. Tatsächlich hatte
er sich ein bißchen übernommen, da er außerdem eine Art Treuhänderschaft über Katharinas Wohnung übernommen hatte, die schwer
zu vermieten war und auch nicht zu verkaufen,
weil sie als »blutbefleckt« galt. Jedenfalls sank
sie im Preis, und Blorna mußte gleichzeitig
Amortisation, Zinsen etc. in unverminderter
Höhe zahlen. Es gab sogar die ersten Anzeichen dafür, daß die »Haftex«, was ihren Wohn-
komplex »Elegant am Strom wohnen« betraf,
eine Schadenersatzklage gegen Katharina
Blum erwog, weil diese den Miet-, Handels-
und Gesellschaftswert geschädigt habe. Man
sieht: Ärger, ziemlich viel Ärger. Ein Versuch,
Frau Blorna aus der Architekturfirma zu entlassen wegen des Vertrauensbruches, der darin
bestanden hatte, Katharina mit der Sub-Struk-
tur des Wohnkomplexes vertraut zu machen,

wurde zwar in erster Instanz abgewiesen, aber niemand ist sicher, wie die zweite und die dritte Instanz entscheiden werden. Noch eins: der Zweitwagen ist schon abgeschafft, und kürzlich war ein Foto von Blornas wirklich ziemlich elegantem »Superschlitten« in der ZEITUNG mit der Unterschrift: »Wann wird der rote Anwalt auf den Wagen des kleinen Mannes umsteigen müssen?«

52.

Natürlich ist auch Blornas Verhältnis zur »Lüstra« (Lüding und Sträubleder Investment) gestört, wenn nicht gelöst. Man spricht lediglich noch von »Abwicklungen«. Immerhin bekam er von Sträubleder kürzlich die telefonische Auskunft: »Verhungern lassen wir euch nicht«, wobei das Überraschende für Blorna war, daß Sträubleder »euch« statt »dich« sagte. Er ist natürlich noch für die ›Lüstra‹ und die ›Haftex‹ tätig, aber nicht mehr auf internationaler Ebene, sogar nicht mehr auf nationaler, nur noch selten auf regionaler, meistens auf lokaler, was bedeutet, daß er sich mit miesen Vertragsbrechern und Querulanten herumschlagen muß, die etwa ihnen versprochene

Marmorverkleidungen einklagen, die nur in Solnhofener Schiefer ausgeführt worden sind, oder Typen, die, wenn ihnen drei Schleiflackschichten auf Badezimmertüren versprochen wurden, mit dem Messer Farbe abkratzen, Gutachter anheuern, die feststellen, daß es nur zwei Schichten sind; tropfende Badewannenhähne, defekte Müllschlucker, die man zum Anlaß nimmt, vertraglich abgemachte Zahlungen nicht zu leisten – das sind so die Fälle, die man ihm jetzt überläßt, während er früher zwischen Buenos Aires und Persepolis nicht gerade ständig, aber doch ziemlich häufig unterwegs war, um bei der Planung großer Projekte mitzuwirken. Im militärischen Dienst nennt man das eine Degradierung, die meistens mit demütigenden Tendenzen verbunden ist. Folge: noch keine Magengeschwüre, aber Blornas Magen beginnt sich zu melden. Schlimm: daß er in Kohlforstenheim eigene Recherchen unternahm, um von dem örtlichen Polizeimeister zu erfahren, ob der Schlüssel, als man Götten verhaftete, innen oder außen steckte, oder ob man Anzeichen dafür gefunden habe, daß Götten eingebrochen sei. Was soll das, wo die Ermittlungen abgeschlossen sind? Das – es muß festgestellt werden – heilt

die Magengeschwüre keinesfalls, wenn auch
Polizeimeister Hermanns sehr nett zu ihm
war, ihn keineswegs des Kommunismus ver-
dächtigte, aber ihm dringend riet, die Finger
davonzulassen. Einen Trost hat Blorna: seine
Frau wird immer netter zu ihm, sie hat ihre
scharfe Zunge immer noch, wendet sie aber
nicht mehr gegen ihn an, nur noch gegen andere, wenn auch nicht gegen alle. Ihr Plan, die
Villa zu verkaufen, Katharinas Wohnung frei-
zukaufen und dorthin zu ziehen, scheiterte
bisher nur an der Größe der Wohnung, was bedeutet: an deren Kleinheit, denn Blorna will
sein Stadtbüro aufgeben und seine Abwicklungen zu Hause erledigen; er, der als Liberaler
mit Bonvivant-Zügen galt, ein beliebter, le-
benslustiger Kollege, dessen Parties beliebt
waren, beginnt, asketische Züge zu zeigen,
seine Kleidung, auf die er immer großen Wert
legte, zu vernachlässigen, und da er sie *wirklich*, nicht auf eine modische Weise vernachlässigt, behaupten manche Kollegen sogar, er
betreibe nicht einmal mehr ein Minimum an
Körperpflege und beginne zu riechen. So kann
man sich wenig Hoffnung auf eine neue Karriere für ihn machen, denn tatsächlich – hier
soll nichts, aber auch gar nichts verschwiegen

werden – ist sein Körpergeruch nicht mehr der alte, der eines Mannes, der morgens munter unter die Dusche springt, reichlich Seife, Desodorants und Duftwasser verwendet. Kurz: es geht eine erhebliche Veränderung mit ihm vor sich. Seine Freunde – er hat noch einige, unter anderem Hach, mit dem er im übrigen in den Fällen Ludwig Götten und Katharina Blum beruflich zu tun hat – sind besorgt, zumal seine Aggressionen – etwa gegen die ZEITUNG, die ihn immer wieder mit kurzen Publikationen bedenkt – nicht mehr ausbrechen, sondern offensichtlich geschluckt werden. Die Sorge seiner Freunde geht so weit, daß sie Trude Blorna gebeten haben, unauffällig zu kontrollieren, ob Blorna sich Waffen besorgt oder Explosivkörper bastelt, denn der erschossene Tötges hat einen Nachfolger gefunden, der unter den Namen Eginhard Templer eine Art Fortsetzung von Tötges betreibt: es gelang diesem Templer, Blorna beim Betreten einer privaten Pfandleihe zu fotografieren, dann, offenbar durchs Schaufenster fotografiert, den Lesern der ZEITUNG Einblick in die Verhandlungen zwischen Blorna und dem Pfandleiher zu geben: es wurde dort über den Leihwert eines Ringes verhandelt, den der Pfandleiher mit einer Lupe begutachtete. Unterschrift des Bildes: »Fließen die roten Quellen wirklich nicht mehr, oder wird hier Not vorgetäuscht?«

53.

Blornas größte Sorge ist, Katharina so weit zu bringen, daß sie bei der Hauptverhandlung aussagen wird, sie habe erst am Sonntagmorgen den Entschluß gefaßt, sich an Tötges zu rächen, keineswegs mit tödlicher, nur mit abschreckender Absicht. Sie habe zwar bereits am Samstag, als sie Tötges zu einem Interview einlud, die Absicht gehabt, ihm tüchtig die Meinung zu sagen und ihn darauf aufmerksam zu machen, was er in ihrem Leben und im Leben ihrer Mutter angerichtet habe, aber töten wollen habe sie ihn nicht einmal am Sonntag, nicht einmal nach Lektüre des Artikels in der SONNTAGSZEITUNG. Es soll der Eindruck vermieden werden, Katharina habe den Mord tagelang geplant und auch planmäßig ausgeführt. Er versucht ihr – die angibt, schon am Donnerstag nach Lektüre des ersten Artikels *Mordgedanken* gehabt zu haben – klarzumachen, daß manch einer – auch er – gelegentlich Mordgedanken habe, daß man aber den Unterschied zwischen Mordgedanken und Mordplan herausarbeiten müsse. Was ihn außerdem beunruhigt: daß Katharina immer noch keine Reue empfindet, sie deshalb auch nicht vor Gericht wird zeigen können. Sie ist keineswegs deprimiert, sondern irgendwie glücklich, weil sie »unter denselben Bedingungen wie mein lieber Ludwig« lebt. Sie gilt als vorbildliche Gefangene, arbeitet in der Küche, soll aber, wenn sich der Beginn der Hauptverhandlung noch hinauszögert, in die Wirtschaftsabteilung (Ökonomie) versetzt werden; dort aber – so ist zu erfahren – erwartet man sie keineswegs begeistert: man fürchtet – auf Verwaltungs- und auf Häftlingsseite – den Ruf der Korrektheit, der ihr vorangeht, und die Aussicht, daß Katharina möglicherweise ihre ganze Haftzeit – man rechnet damit, daß fünfzehn Jahre beantragt werden und daß sie acht bis zehn Jahre bekommt – im Wirtschaftswesen beschäftigt werden soll, verbreitet sich als Schreckensnachricht durch alle Haftanstalten. Man sieht: Korrektheit, mit planerischer Intelligenz verbunden, ist nirgendwo erwünscht, nicht einmal in Gefängnissen, und nicht einmal von der Verwaltung.

54

Wie Hach Blorna vertraulich mitteilte, wird man die Mordanklage gegen Götten wahrscheinlich nicht aufrechterhalten können und also auch nicht erheben. Daß er aus der Bundeswehr nicht nur desertiert ist, sondern diese segensreiche Einrichtung außerdem erheblich geschädigt hat (auch materiell, nicht nur moralisch), gilt als erwiesen. Nicht Bankraub, sondern totale Ausplünderung eines Safes, der den Wehrsold für zwei Regimenter und erhebliche Geldreserven enthielt; außerdem Bilanzfälschung, Waffendiebstahl. Nun, man muß auch für ihn mit acht bis zehn Jahren rechnen. Er wäre dann bei seiner Entlassung etwa vierunddreißig, Katharina wäre fünfunddreißig, und sie hat tatsächlich Zukunftspläne: sie rechnet damit, daß sich ihr Kapital bis zu ihrer Entlassung erheblich verzinst und will dann »irgendwo, natürlich nicht hier« ein »Restaurant mit Traiteurservice« aufmachen. Ob sie nun als Göttens Verlobte gelten darf, das wird wahrscheinlich nicht an höherer, sondern an höchster Stelle entschieden. Entsprechende Anträge liegen vor und sind auf dem langen Marsch durch die Instanzen. Übrigens han-

delte es sich bei den Telefonkontakten, die
Götten von Sträubleders Villa aus aufnahm,
ausschließlich um Bundeswehrangehörige
oder deren Frauen, darunter Offiziere und Of-
fiziersfrauen. Man rechnet mit einem Skandal
mittleren Umfangs.

55.

Während Katharina fast unangefochten, lediglich in ihrer Freiheit eingeschränkt, der Zukunft entgegensieht, befindet sich auch Else
Woltersheim auf dem Weg in eine sich stei-
gernde Verbitterung. Es hat sie sehr getroffen,
daß man ihre Mutter und ihren verstorbenen
Vater diffamierte, der als Opfer des Stalinis-
mus gilt. Man kann bei Else Woltersheim verstärkte gesellschaftsfeindliche Tendenzen
feststellen, die zu mildern nicht einmal Konrad Beiters gelingt. Da Else sich immer mehr
aufs kalte Buffet spezialisiert hat, sowohl, was
die Planung wie Erstellung und Überwachung
betrifft, wendet sich ihre Aggressivität immer
mehr gegen die Partygäste, mögen es nun aus-
ländische oder inländische Journalisten, Industrielle, Gewerkschaftsfunktionäre, Bankiers
oder leitende Angestellte sein. »Manchmal«,

sagte sie neulich zu Blorna, »muß ich mich mit Gewalt zurückhalten, um nicht irgendeinem Seeger eine Schüssel Kartoffelsalat über den Frack oder irgendeiner Zicke eine Platte mit Lachsschnittchen in den Busenausschnitt zu kippen, damit die endlich das Gruseln lernen. Sie müssen sich das mal von der anderen, von unserer Seite aus vorstellen: wie sie da alle mit ihren aufgesperrten Mündern, oder sagen wir lieber Fressen, stehen, und wie sich natürlich alle erst einmal auf die Kaviarbrötchen stürzen – und da gibt es Typen, von denen ich weiß, daß sie Millionäre sind oder Millionärsfrauen, die stecken sich auch noch Zigaretten und Streichhölzer, Petit-Fours in die Tasche. Nächstens bringen sie noch irgendwelche Plastiktüten mit, in denen sie den Kaffee davonschleppen – und das alles, alles wird doch irgendwie von unseren Steuern bezahlt, so oder so. Da gibt es Typen, die sich das Frühstück oder das Mittagessen sparen und wie die Geier übers Buffet herfallen – aber ich möchte damit natürlich die Geier nicht beleidigen.«

56

An handgreiflichen Gewalttätigkeiten ist bisher eine bekanntgeworden, die leider ziemlich viel öffentliche Beachtung fand. Anläßlich einer Ausstellungseröffnung des Malers Frederick Le Boche, als dessen Mäzen Blorna gilt, traf er zum erstenmal wieder Sträubleder persönlich, und als dieser ihm strahlend entgegenkam, Blorna ihm aber die Hand nicht geben wollte, Sträubleder Blornas Hand aber geradezu ergriff und ihm zuflüsterte: »Mein Gott, nimm das doch nicht zu ernst, wir lassen euch schon nicht verkommen – nur läßt du dich leider verkommen.« Nun, es muß korrekterweise leider berichtet werden, daß in diesem Moment Blorna Sträubleder wirklich in die F... schlug. Rasch gesagt, um ebenso rasch vergessen zu werden: es floß Blut, aus Sträubleders Nase, nach privaten Schätzungen etwa vier bis sieben Tropfen, aber, was schlimmer war: Sträubleder wich zwar zurück, sagte aber dann: »Ich verzeihe dir, verzeihe dir alles – angesichts deines emotionellen Zustandes.« – Und so kam es, da diese Bemerkung Blorna über die Maßen zu reizen schien, zu etwas, das Augenzeugen als »Handgemenge« bezeichneten, und wie es nun einmal so ist, wenn Leute wie Sträubleder und Blorna sich in der Öffentlichkeit zeigen, war auch der Fotograf von der ZEITUNG, ein gewisser Kottensehl, der Nachfolger des erschossenen Schönner, zugegen, und man kann es vielleicht der ZEITUNG – da man ja ihren Charakter inzwischen kennt – nicht übelnehmen, daß sie das Foto von diesem Handgemenge publizierte mit der Überschrift: »Konservativer Politiker von linkem Anwalt tätlich angegriffen.« Am nächsten Morgen natürlich erst. Während der Ausstellung kam es noch zu einer Begegnung zwischen Maud Sträubleder und Trude Blorna. Maud Sträubleder sagte zu Trude Blorna: »Mein Mitleid ist dir gewiß, liebe Trude«, woraufhin Trude B. zu Maud S. sagte: »Tu dein Mitleid nur schleunigst in den Eisschrank zurück, wo alle deine Gefühle lagern.« Als sie dann noch einmal von Maud S. Verzeihung, Milde, Mitleid, ja fast Liebe angeboten bekam mit den Worten: »Nichts, gar nichts, auch deine zersetzenden Äußerungen können meine Sympathie verringern«, antwortete Trude B. mit Worten, die hier nicht wiedergegeben werden können, über die nur in referierender Form berichtet werden kann; damenhaft waren die Worte nicht, mit denen Trude B. auf die zahlreichen Annäherungsversuche von Sträubleder anspielte und unter anderem – unter Verletzung der Schweigepflicht, der auch die Frau eines Anwalts unterliegt – auf Ring, Briefe und Schlüssel hinwies, die »dein immer wieder abgewiesener Freier in einer gewissen Wohnung gelassen hat«. Hier wurden die streitenden Damen durch Frederick Le Boche getrennt, der es sich nicht hatte nehmen lassen, Sträubleders Blut geistesgegenwärtig mit einem Löschblatt aufzufangen und zu einem – wie er es nannte – »One minute piece of art« zu verarbeiten, dem er den Titel »Ende einer langjährigen Männerfreundschaft« gab, signierte und nicht Sträubleder, sondern Blorna schenkte, mit den Worten: »Das kannst du verscheuern, um deine Kasse ein bißchen aufzubessern.« Man sollte an dieser letzterwähnten Tatsache sowie an den eingangs beschriebenen Gewalttätigkeiten erkennen dürfen, daß die Kunst doch noch eine soziale Funktion hat.

57

Es ist natürlich äußerst bedauerlich, daß hier zum Ende hin so wenig Harmonie mitgeteilt und nur sehr geringe Hoffnung auf solche gemacht werden kann. Nicht Integration, Konfrontation hat sich ergeben. Man muß sich natürlich die Frage erlauben dürfen, wieso oder warum eigentlich? Da ist eine junge Frau gut gelaunt, fast fröhlich zu einem harmlosen Tanzvergnügen gegangen, vier Tage später wird sie – da hier nicht ge-, sondern nur berichtet werden soll, soll es bei der Mitteilung von Fakten belassen bleiben – zur Mörderin, eigentlich, wenn man genau hinsieht, auf Grund von Zeitungsberichten. Es kommt zu Gereiztheiten und Spannungen, schließlich Handgreiflichkeiten zwischen zwei sehr sehr lange befreundeten Männern. Spitze Bemerkungen von deren Frauen. Abgewiesenes Mitleid, ja abgewiesene Liebe. Höchst unerfreuliche Entwicklungen. Ein fröhlicher, weltoffener Mensch, der das Leben, das Reisen, Luxus liebt – vernachlässigt sich so sehr, daß er Körpergeruch ausströmt! Sogar Mundgeruch ist bei ihm festgestellt worden. Er bietet seine Villa zum Verkauf an, er geht zum Pfandleiher. Seine

Frau sieht sich »nach etwas anderem um«, da sie sicher ist, in der zweiten Instanz zu verlieren; sie ist sogar bereit, diese begabte Frau ist bereit, wieder als bessere Verkäuferin mit dem Titel »Beraterin für Innenarchitektür« zu einer großen Möbelfirma zu gehen, aber dort läßt man sie wissen, »daß die Kreise, an die wir üblicherweise verkaufen, genau die Kreise sind, gnädige Frau, mit denen Sie sich überworfen haben«. Kurz gesagt: es sieht nicht gut aus. Staatsanwalt Hach hat Freunden bereits im Vertrauen zugeflüstert, was er Blorna selbst noch nicht zu sagen gewagt hat: daß man ihn als Verteidiger möglicherweise wegen erheblicher Befangenheit ablehnen wird. Was soll daraus werden, wie soll das enden? Was wird aus Blorna, wenn er nicht mehr die Möglichkeit hat, Katharina zu besuchen und mit ihr – man sollte es jetzt nicht mehr länger verschweigen! – Händchen zu halten. Kein Zweifel: er liebt sie, sie ihn nicht, und er hat nicht die geringste Hoffnung, denn alles, alles gehört doch ihrem »lieben Ludwig«! Und es muß hinzugefügt werden, daß »Händchen-Halten« hier eine vollkommen einseitige Sache ist, denn es besteht lediglich darin, daß er, wenn Katharina Akten oder Notizen oder Aktennotizen hinüberreicht, seine Hände auf ihre legt, länger, vielleicht drei-, vier- höchstens fünf- zehntel Sekunden länger als üblich wäre. Ver- flucht, wie soll man hier Harmonie herstellen, und nicht einmal seine heftige Zuneigung zu Katharina veranlaßt ihn, sich – nun sagen wir einmal – ein bißchen häufiger zu waschen. Nicht einmal die Tatsache, daß er, er allein die Herkunft der Tatwaffe herausgefunden hat – was Beizmenne, Moeding und ihren Helfern nicht gelang –, tröstet ihn. Nun ist »herausge- funden« vielleicht zuviel gesagt, es handelt sich um ein freiwilliges Geständnis von Kon- rad Beiters, der bei dieser Gelegenheit zugab, er sei ein alter Nazi, und dieser Tatsache allein verdanke er es wahrscheinlich, daß man bisher auf ihn nicht aufmerksam geworden sei. Nun, er sei politischer Leiter in Kuir gewesen und habe seinerzeit etwas für Frau Woltersheims Mutter tun können, und, nun, die Pistole sei eine alte Dienstpistole, die er versteckt, aber dummerweise Else und Katharina gelegentlich gezeigt habe; man sei sogar einmal zu dreien in den Wald gefahren und habe dort Schieß- übungen veranstaltet; Katharina habe sich als sehr gute Schützin erwiesen und ihn drauf auf- merksam gemacht, daß sie schon als junges

Mädchen beim Schützenverein gekellnert habe und gelegentlich mal habe ballern dürfen. Nun, am Samstagabend habe Katharina ihn um seinen Wohnungsschlüssel gebeten mit der Begründung, er müsse doch verstehen, sie wolle einmal allein sein, ihre eigene Wohnung sei für sie tot, tot . . . sie sei aber am Samstag doch bei Else geblieben und müsse sich die Pistole am Sonntag aus seiner Wohnung geholt haben, und zwar, als sie nach dem Frühstück und nach der Lektüre der SONNTAGSZEITUNG, als Beduinenfrau verkleidet in diese Journalistenbumsbude gefahren sei.

58.

Letzten Endes bleibt da doch noch etwas halbwegs Erfreuliches mitzuteilen: Katharina erzählte Blorna den Tathergang, erzählte ihm auch, wie sie die sieben oder sechseinhalb Stunden zwischen dem Mord und ihrem Eintreffen bei Moeding verbracht hatte. Man ist in der glücklichen Lage, diese Schilderung wörtlich zu zitieren, da Katharina alles schriftlich niederlegte und Blorna zur Verwendung beim Prozeß überließ.

»In das Journalistenlokal bin ich nur gegangen,

um ihn mir mal anzuschauen. Ich wollte wissen, wie solch ein Mensch aussieht, was er für Gebärden hat, wie er spricht, trinkt, tanzt – dieser Mensch, der mein Leben zerstört hat. Ja, ich bin vorher in Konrads Wohnung gegangen und habe mir die Pistole geholt, und ich habe sie sogar selbst geladen. Das hatte ich mir genau zeigen lassen, als wir damals im Wald geschossen haben. Ich wartete in dem Lokal eineinhalb bis zwei Stunden, aber er kam nicht. Ich hatte mir vorgenommen, wenn er zu widerlich wäre, gar nicht zu dem Interview zu gehen, und hätte ich ihn vorher gesehen, wäre ich auch nicht hingegangen. Aber er kam ja nicht in die Kneipe. Um den Belästigungen zu entgehen, habe ich den Wirt, er heißt Kraffluhn, Peter, und ich kenne ihn von meinen Nebenbeschäftigungen her, wo er manchmal als Oberkellner aushilft – ich habe ihn gebeten, mich beim Ausschank hinter der Theke helfen zu lassen. Peter wußte natürlich, was in der ZEITUNG über mich gelaufen war, er hatte mir versprochen, mir ein Zeichen zu geben, wenn Tötges auftauchen sollte. Ein paarmal, weil ja nun Karneval war, habe ich mich auch zum Tanz auffordern lassen, aber als Tötges nicht kam, wurde ich doch sehr nervös, denn ich wollte nicht unvorbereitet mit ihm zusammentreffen. Nun, um zwölf bin ich dann nach Hause gefahren, und es war mir scheußlich in der verschmierten und verdreckten Wohnung. Ich habe nur ein paar Minuten warten müssen, bis es klingelte, gerade Zeit genug, die Pistole zu entsichern und griffbereit in meiner Handtasche zu plazieren. Ja und dann klingelte es, und er stand schon vor der Tür, als ich aufmachte, und ich hatte doch gedacht, er hätte unten geklingelt, und ich hätte noch ein paar Minuten Zeit, aber er war schon mit dem Aufzug raufgefahren, und da stand er vor mir, und ich war erschrocken. Nun, ich sah sofort, welch ein Schwein er war, ein richtiges Schwein. Und dazu hübsch. Was man so hübsch nennt. Nun, Sie haben ja die Fotos gesehen. Er sagte ›Na, Blümchen, was machen wir zwei denn jetzt?‹ Ich sagte kein Wort, wich ins Wohnzimmer zurück, und er kam mir nach und sagte: ›Was guckst du mich denn so entgeistert an, mein Blümelein – ich schlage vor, daß wir jetzt erst einmal bumsen.‹ Nun, inzwischen war ich bei meiner Handtasche, und er ging mir an die Kledage, und ich dachte: ›Bumsen, meinetwegen‹, und ich hab die Pistole rausgenommen und sofort auf ihn geschossen. Zweimal, dreimal, viermal. Ich weiß nicht mehr genau. Wie oft, das können Sie ja in dem Polizeibericht nachlesen. Ja, nun müssen Sie nicht glauben, daß es was Neues für mich war, daß ein Mann mir an die Kledage wollte – wenn Sie von Ihrem vierzehnten Lebensjahr an, und schon früher, in Haushalten arbeiten, sind Sie was gewohnt. Aber *dieser* Kerl – und dann ›Bumsen‹, und ich dachte: Gut, jetzt bumst's. Natürlich hatte er damit nicht gerechnet, und er guckte mich noch 'ne halbe Sekunde oder so erstaunt an, so wie im Kino, wenn einer plötzlich aus heiterem Himmel erschossen wird. Dann fiel er um, und ich glaube, daß er tot war. Ich habe die Pistole neben ihn geschmissen und bin raus, mit dem Aufzug runter, und zurück in die Kneipe, und Peter war erstaunt, denn ich war kaum eine halbe Stunde weggewesen. Ich hab dann weiter an der Theke gearbeitet, habe nicht mehr getanzt, und die ganze Zeit über dachte ich ›Es ist wohl doch nicht wahr‹, ich wußte aber, daß es wahr war. Und Peter kam manchmal zu mir und sagte: Der kommt heute nicht, dein Kumpel da, und ich sagte: Sieht ganz so aus. Und tat gleichgültig. Bis vier habe ich Schnäpse ausgeschenkt und Bier gezapft und Sektflaschen geöffnet und Rollmöpse ser-

viert. Dann bin ich gegangen, ohne mich von
Peter zu verabschieden, bin erst in eine Kirche
nebenan, hab da vielleicht eine halbe Stunde
gesessen und an meine Mutter gedacht, an dieses verfluchte, elende Leben, das sie gehabt
hat, und auch an meinen Vater, der immer, immer nörgelte, immer, und auf Staat und Kirche,
Behörden und Beamte, Offiziere und alles
schimpfte, aber wenn er mal mit einem von
denen zu tun hatte, dann ist er gekrochen, hat
fast gewinselt vor Unterwürfigkeit. Und an
meinen Mann, Brettloh, an diesen miesen
Dreck, den er diesem Tötges erzählt hatte, an
meinen Bruder natürlich, der ewig und ewig
hinter meinem Geld her war, wenn ich nur ein
paar Mark verdient hatte, und sie mir ab-
knöpfte für irgendeinen Blödsinn, Kleider oder
Motorräder oder Spielsalons, und natürlich
auch an den Pfarrer, der mich in der Schule immer »unser rötliches Kathrinchen« genannt
hat, und ich wußte gar nicht, was er meinte,
und die ganze Klasse lachte, weil ich dann
wirklich rot wurde. Ja. Und natürlich auch an
Ludwig. Dann bin ich aus der Kirche raus und
ins nächstbeste Kino, und wieder raus aus dem
Kino, und wieder in eine Kirche, weil das an
diesem Karnevalssonntag der einzige Ort war,

wo man ein bißchen Ruhe fand. Ich dachte natürlich auch an den Erschossenen da in meiner Wohnung. Ohne Reue, ohne Bedauern. Er wollte doch bumsen, und ich habe gebumst, oder? Und einen Augenblick lang dachte ich, es wäre der Kerl, der mich nachts angerufen hat und der auch die arme Else dauernd belästigt hat. Ich dachte, das ist doch die Stimme, und ich wollte ihn noch ein bißchen quatschen lassen, um es herauszukriegen, aber was hätte mir das genutzt? Und dann hatte ich plötzlich Lust auf einen starken Kaffee und bin zum Café Bekering gegangen, nicht ins Lokal, sondern in die Küche, weil ich Käthe Bekering, die Frau des Besitzers, von der Haushaltsschule her kenne. Käthe war sehr nett zu mir, obwohl sie ziemlich viel zu tun hatte. Sie hat mir eine Tasse von ihrem eigenen Kaffee gegeben, den sie ganz nach Omas Art noch richtig auf den gemahlenen Kaffee aufschüttet. Aber dann fing sie auch mit dem Kram aus der ZEITUNG an, nett, aber doch auf eine Weise, als glaubte sie wenigstens ein bißchen davon – und wie sollen die Leute denn auch wissen, daß das alles gelogen ist. Ich habe ihr zu erklären versucht, aber sie hat nicht verstanden, sondern nur mit den Augen gezwinkert und gesagt:

›Und du liebst also diesen Kerl wirklich‹, und ich habe gesagt ›Ja‹. Und dann habe ich mich für den Kaffee bedankt, hab mir draußen ein Taxi genommen und bin zu diesem Moeding gefahren, der damals so nett zu mir war.«

Materialien

Will Ulrike Meinhof Gnade
oder freies Geleit?

(in: DER SPIEGEL, 10. 1. 72)

Wo die Polizeibehörden ermitteln, vermuten, kombinieren, ist *Bild* schon bedeutend weiter: *Bild* weiß. Dicke Überschrift auf der Titelseite der (Kölner) Ausgabe vom 23. 12. 71: »Baader-Meinhof-Bande mordet weiter«.

Im wesentlich kleiner gedruckten Bericht über den Kaiserslauterer Bankraub liest man dann von vier maskierten Gangstern, unter denen »vermutlich« eine Frau war; im Verdacht, so liest man weiter, stehe »unter anderem« die Gruppe um Ulrike Meinhof. Indizien: Informationen der Polizei über den Aufenthalt der Gruppe, ein roter Alfa Romeo, beim Überfall benutzt, Tage vorher in Stuttgart gestohlen, schon einmal bei einer Fahndung nach der Gruppe beobachtet; weitere Indizien: die »brutale Art« des Überfalls und die »generalstabsmäßige Planung«.

Nun sind Banküberfälle meistens brutal, auch wenn die Verdächtigten nicht der Gruppe um Ulrike Meinhof angehören. Und gerade durch generalstabsmäßige Planung eines Überfalls werden meistens Opfer vermieden.

Immerhin wird dann Herr Rauber, der Chef der Kaiserslauterer Kriminalpolizei, zitiert: »Wir haben zwar noch keine konkreten Anhaltspunkte, daß die Baader-Meinhof-Bande für den Überfall verantwortlich ist. Aber wir ermitteln selbstverständlich in dieser Richtung.« Das klingt schon anders; nüchtern, sachlich, angesichts der Indizien plausibel, legitim, wenn man es schon als legitim ansieht, daß Polizeibeamte für 1373 Mark monatlich ihr Leben riskieren, unter anderem, um Banktresore zu schützen. Ein riskanter, schlecht bezahlter Beruf.

Im Manifest der Gruppe, nach dem Untertauchen erst hektographiert, inzwischen im Wagenbach Rotbuch 26 (Alex Schubert: Stadtguerillas) erschienen, ist über dieses Problem zu lesen: »Am 14. Mai (1970 bei der Befreiung Baaders in Berlin) ebenso wie in Frankfurt, wo zwei von uns abgehauen sind, weil wir uns nicht einfach verhaften lassen wollten – haben die Bullen zuerst geschossen. Die Bullen haben jedesmal gezielte Schüsse abgegeben. Wir haben z. T. überhaupt nicht geschossen, und wenn, dann nicht gezielt: in

Berlin, in Nürnberg, in Frankfurt. Das ist nachweisbar, weil es wahr ist.«

»Wir machen nicht ›rücksichtslos von der Schußwaffe Gebrauch‹. Der Bulle, der sich in dem Widerspruch zwischen sich als ›kleinem Mann‹ und als Kapitalistenknecht, als kleinem Gehaltsempfänger und Vollzugsbeamten des Monopolkapitals befindet, befindet sich nicht im Befehlsnotstand. Wir schießen, wenn auf uns geschossen wird. Den Bullen, der uns laufenläßt, lassen wir auch laufen.«

Hebt man die Kränkung, die in der Bezeichnung »Bulle« liegt, gegen das Wort »Bande« auf, zieht man von den zahlreichen vermuteten die bisher nachgewiesenen Taten ab und vergleicht man diese Passage mit dem wilden Schluß des Manifests *Den bewaffneten Kampf unterstützen. Sieg im Volkskrieg*, so klingt das nicht ganz so wahnwitzig wild und schießlustig, wie die Gruppe bisher dargestellt worden ist. Ergänzt man die oben zitierte Passage durch eine andere, die sich mit der lebensgefährlichen Verletzung des Angestellten Georg Linke auseinandersetzt, so entsteht auch nicht gerade der Eindruck einer uneingeschränkten Balleridelologie: »Die Frage, ob die Gefangenenbefreiung auch dann gemacht worden wäre, wenn wir gewußt hätten, daß ein Linke dabei angeschossen wird – sie ist uns oft genug gestellt worden –, kann nur mit Nein beantwortet werden.«

Die Kriegserklärung, die im Manifest enthalten ist, richtet sich eindeutig gegen das System, nicht gegen seine ausführenden Organe. Es wäre gut, wenn Herr Kuhlmann, der Vorsitzende der Polizeigewerkschaft, dafür sorgte, daß seine Kollegen, die einen so gefährlichen und schlecht bezahlten Beruf ausüben, dieses Manifest einmal lesen.

Es ist eine Kriegserklärung von verzweifelten Theoretikern, von inzwischen Verfolgten und Denunzierten, die sich in die Enge begeben haben, in die Enge getrieben worden sind und deren Theorien weitaus gewalttätiger klingen, als ihre Praxis ist. Gewiß war die Befreiung Baaders eben doch nicht der so ganz überzeugende (weder für Beobachter noch für Mitwirkende überzeugende) Sprung von der Theorie in die Aktion. Das Manifest enthält unter anderem auch fast so etwas wie ein Geständnis: »Weder das bißchen Geld, das wir geklaut haben sollen, noch die paar Auto- und Dokumentendiebstähle, derentwegen gegen uns ermittelt wird, auch nicht der Mordversuch, den man uns anzuhängen versucht, rechtfertigen für sich den Tanz.« Es kann kein Zweifel bestehen: Ulrike Meinhof hat dieser Gesellschaft den Krieg erklärt, sie weiß, was sie tut und getan hat, aber wer könnte ihr sagen, was sie jetzt tun sollte? Soll sie sich wirklich stellen, mit der Aussicht, als die klassische rote Hexe in den Siedetopf der Demagogie zu geraten?

Bild, ganz und gar vorweihnachtlich gestimmt, weiß ja schon: »Baader-Meinhof-Gruppe mordet weiter.« *Bild* opfert die Hälfte seiner kostbaren ersten und die Hälfte seiner ebenso kostbaren letzten Seite dem Kaiserslauterer Bankraub.

Auf der letzten Seite von *Bild* (23. 12. 71) findet man nur noch wenig von polizeilichen Ermittlungen. Statt dessen zwei Sonderspalten: »Die Opfer der Baader-Meinhof-Bande«, »Die Beute der Baader-Meinhof-Bande«. Unter die Opfer zählt *Bild* nicht nur das nachgewiesene (und zugegebene) Opfer Georg Linke, es zählt auch alle die hinzu, bei denen noch nicht ganz geklärt ist, wer auf sie geschossen hat: Helmut Ruf und Norbert Schmid, und da *Bild* schon einmal beim

Opfern ist, wird auch der Polizeiobermeister Herbert Schoner aus Kaiserslautern der Einfachheit halber hinzugezählt.

Der Rentner Helmut Langenkämper aus Kiel wird immerhin nur als einer bezeichnet, der sich »Bankräubern in den Weg stellte«. Welchen Bankräubern? Schwamm drüber, das nehmen wir nicht so genau, die Vorweihnachtsopferlitanei darf nicht zu kurz ausfallen. Und wohl deshalb auch zählt *Bild* Petra Schelm und Georg von Rauch (der hier zum Hauch wird) dazu. Das soll sicher ein Witz sein.

Ich hoffe, daß Herrn Springer und seinen Helfershelfern dieser Witz im Hals steckenbleibt mit den Gräten ihres Weihnachtskarpfens. Man kann die Nase schon voll kriegen, und ich habe sie voll. Wahrscheinlich wird *Bild* bald so weit sein, einen so armen Teufel wie Hermann Göring, der sich leider selbst umbringen mußte, unter die Opfer des Faschismus zu zählen.

In der zweiten Litaneispalte – »Beute der Baader-Meinhof-Bande« – wird schlicht auch der Schaden aufgezählt, den die Frankfurter Kaufhausbrandstiftung verursacht hat: 2,2 Millionen. Auch Baaders Befreiung und ein Schußwechsel am 24. 12. 70 in Nürnberg laufen unter »Beute«. Natürlich werden die erbeuteten Summen der Banküberfälle, bei denen die Polizei lediglich vermutet, *Bild* aber weiß, der Beute zugeschlagen. Logischerweise werden die 134 000 Mark aus Kaiserslautern mit-, aber nicht mehr aufgezählt, wo man doch Polizeiobermeister Schoner schon unter die Opfer gezählt hat. Da stimmt doch etwas nicht an der Rechenmaschine, die *Bild* bei solchen Additionen benutzt, denn es fehlen die 2,2 Millionen aus Frankfurt, Beutespalte bleibt Beutespalte, oder etwa nicht? Fragen dürfen wird man doch wohl.

Ich kann nicht annehmen, daß Polizeibehörden und zuständige Minister über Helfershelfer wie *Bild* glücklich sein können – oder sollten sie's doch sein? Ich kann nicht begreifen, daß irgendein Politiker einem solchen Blatt noch ein Interview gibt. Das ist nicht mehr kryptofaschistisch, nicht mehr faschistoid, das ist nackter Faschismus. Verhetzung, Lüge, Dreck.

Diese Form der Demagogie wäre nicht einmal gerechtfertigt, wenn sich die Vermutungen der Kaiserslauterer Polizei als zutreffend herausstellen sollten. In jeder Erscheinungsform von Rechtsstaat hat jeder Verdächtige ein Recht, daß, wenn man schon einen bloßen Verdacht publizieren darf, betont wird, daß er nur verdächtigt wird.

Die Überschrift »Baader-Meinhof-Gruppe mordet weiter« ist eine Aufforderung zur Lynchjustiz. Millionen, für die *Bild* die einzige Informationsquelle ist, werden auf diese Weise mit verfälschten Informationen versorgt. Man hat ja wohl genug von den Verdächtigten oder nur verdächtig Aussehenden des Herrn XY Zimmermann gehört.

Die Bezeichnung Rechtsstaat wird fragwürdig, wenn man die gesamte Öffentlichkeit mit ihren zumindest unkontrollierbaren Instinkten in die Exekutive einbezieht; wenn man die Qualität des Rechts der Quantität von Erfolg und Popularität opfert. Die nach Indizien zurechtdramatisierten Spielfilmrekonstruktionen, die Herr Zimmermann als Illustrationen zeigt, sind doch nichts weiter als miese Grusicals für den Spießer, der in Pantoffeln dasitzt, Bier trinkt und glaubt, er würde zum Augenzeugen, wo er doch nur einer undurchsichtigen Mischung von fact und fiction zuschaut, gelegentlich solchen, in denen Leichenteile die Hauptrolle spielen.

Wir wär's, wenn Herr XY Zimmermann einen der immer noch gesuchten Naziverbrecher in der heiligen Krimistunde suchen ließe? Nur als Probe, um zu testen, wie 's deutsche Krimigemüt darauf reagieren würde?

Die Bundesrepublik Deutschland hat 60 000 000 Einwohner. Die Gruppe um Meinhof mag zur Zeit ihrer größten Ausdehnung 30 Mitglieder gehabt haben. Das war ein Verhältnis von 1:2 000 000. Nimmt man an, daß die Gruppe inzwischen auf 6 Mitglieder geschrumpft ist, wird das Verhältnis noch gespenstischer 1:10 000 000.

Das ist tatsächlich eine äußerst bedrohliche Situation für die Bundesrepublik Deutschland. Es ist Zeit, den nationalen Notstand auszurufen. Den Notstand des öffentlichen Bewußtseins, der durch Publikationen wie *Bild* permanent gesteigert wird.

Was richtet eine Überschrift wie die zitierte an? Wer zieht *Bild* zur Rechenschaft, wenn die Vermutungen der Polizei sich als unzutreffend herausstellen? Wird *Bild* dementieren, sich korrigieren, oder wird Herr Springer sich an der Bildspalte auf Seite 5 trösten, die die Überschrift trägt: »So viel Liebe auf einmal.« Dort werden die weihnachtlichen Spen-

den publiziert. Gott segne das ehrbare Hand-
werk. Ich hoffe, die Gräten im Weihnachts-
karpfen waren nicht zu weich und haben sich
tatsächlich quergelegt.

Ich wiederhole: Kein Zweifel – Ulrike Meinhof lebt im Kriegszustand mit dieser Gesellschaft. Jedermann konnte ihre Leitartikel
lesen, jedermann kann inzwischen im Rotbuch 26 des Wagenbach Verlages das Manifest
lesen, das nach dem Untertauchen der
Gruppe geschrieben ist. Es ist inzwischen ein
Krieg von 6 gegen 60 000 000. Ein sinnloser
Krieg, nicht nur nach meiner Meinung, nicht
nur generell, auch im Sinne des publizierten
Konzeptes.

Ich halte es für psychologisch aussichtslos,
Kleinbürgern, Arbeitern, Angestellten, Beamten (auch Polizeibeamten), die vom Erlebnis
zweier totaler Inflationen geschreckt sind,
ihren relativen Wohlstand ausreden zu wollen, wenn man ihnen nicht erst einmal ausführlich und nationalökonomisch exakt dar-
legt, wie fürchterlich »gleich« die Chancen
bei der Währungsreform waren. Und hat je
einer die jüngeren Polizeibeamten darüber
informiert, auf dem Hintergrund welcher
Polizei*geschichte* die ihren tatsächlich

schweren Beruf ausüben? Es gab einmal kurzfristig einen Bundesminister in einem CDU-Kabinett, der sofort, fast über Nacht aus dem Verkehr gezogen wurde und dann auch zurücktrat, als sich herausstellte, daß er einmal Richter in Schneidemühl gewesen war.

Für einen so abscheulichen Satrapen wie Baldur von Schirach, der einige Millionen junger Deutscher in die verschiedensten Todesarten trieb und zu den verschiedensten Mordarten ermutigte, sogar für ihn gab es Gnade. Ulrike Meinhof muß damit rechnen, sich einer totalen Gnadenlosigkeit ausgeliefert zu sehen. Baldur von Schirach hat nicht so lange gesessen, wie Ulrike Meinhof sitzen müßte. Haben die Polizeibeamten, Juristen, Publizisten je bedacht, daß alle Mitglieder der Gruppe um Ulrike Meinhof, alle, praktische Sozialarbeit getan haben und Einblick in die Verhältnisse genommen, die möglicherweise zu dieser Kriegserklärung geführt haben? Schließlich gibt es das Rotbuch 24 des Wagenbach Verlags, Titel: *Bambule*, Verfasserin: Ulrike Marie Meinhof. Lesenswert, aufschlußreich – als Film immer noch nicht gesendet.

Wieviel junge Polizeibeamte und Juristen wissen noch, welche Kriegsverbrecher, rechtmäßig verurteilt, auf Anraten Konrad Adenauers heimlich aus den Gefängnissen entlassen worden und nie wieder zurückbeordert worden sind? Auch das gehört zu unserer Rechtsgeschichte und läßt Ausdrücke wie Klassenjustiz so gerechtfertigt erscheinen wie eine Theorie des Strafvollzugs der politischen Opportunität.

Ulrike Meinhof und der Rest ihrer Gruppe haben keinerlei Chance, irgend jemand politisch opportun zu erscheinen. Äußerste Linke, äußerste Rechte, linke und rechte Mitte, Konservative und Progressive aller Schattierungen, sie alle kennen keine Parteien mehr, sie sind dann nur noch Deutsche und sich einig, einig, wenn sie endlich in ihre deutsche Schwatzgenüßlichkeit zurückfallen, sich ungestört ihrem Fraktionschinesisch ergeben können, wenn geschehen sollte, was nicht geschehen darf; wenn man eines Tages lesen würde, daß auch Ulrike Meinhof, später Grashof, dann Baader und Gudrun Ensslin als »erledigt« zu betrachten sind. Erledigt wie Petra Schelm, Georg von Rauch und der Polizeibeamte Norbert Schmid. Erledigt, vom Tisch, wie man so hübsch sagt, und aus dem deutschen Gemüt, mag's sich noch so links dünken.

Man wird das uralte Gesabbere hören. Es mußte ja so kommen. Schade, aber ich hab's ja immer gesagt. Diese ganze verfluchte nachträgliche Rechthaberei, wie sie Eltern mißratenen Kindern hinterherbeten. Und dann kann man weiter seine verschiedenen Gebetsmühlen drehen. Man hat ja recht gehabt, man hat's ja immer gewußt, und es mußte ja so kommen. Paulinchen war allein zu Haus.

Muß es so kommen? Will Ulrike Meinhof, daß es so kommt?

Will sie Gnade oder wenigstens freies Geleit? Selbst wenn sie keines von beiden will, einer muß es ihr anbieten. Dieser Prozeß muß stattfinden, er muß der lebenden Ulrike Meinhof gemacht werden, in Gegenwart der Weltöffentlichkeit. Sonst ist nicht nur sie und der Rest ihrer Gruppe verloren, es wird auch weiter stinken in der deutschen Publizistik, es wird weiter stinken in der deutschen Rechtsgeschichte.

Haben alle, die einmal verfolgt waren, von denen einige im Parlament sitzen, der eine oder andere in der Regierung, haben sie alle vergessen, was es bedeutet, verfolgt und gehetzt zu sein? Wer von ihnen weiß schon, was es bedeutet, in einem Rechtsstaat gehetzt zu werden von *Bild*, das eine weitaus höhere Auflage hat, als der *Stürmer* sie gehabt hat? Waren nicht auch sie, die ehemals Verfolgten, einmal erklärte Gegner eines Systems, und haben sie vergessen, was sich hinter dem reizenden Terminus »auf der Flucht erschossen« verbarg? Wollen sie in dieser überreizten Situation, in dieser gegenseitigen Verhetzung, die Entscheidung ganz allein den Polizeibeamten überlassen, die verstört und überarbeitet sind und – hier mag's angebracht sein – auf eine psychologisch gefährliche Weise frustriert?

Weiß keiner mehr, was es bedeutet, einer gnadenlosen Gesellschaft gegenüberzustehen? Wollen die ehemals Verfolgten die verschiedenen Qualitäten des Verfolgtseins gegeneinander ausspielen und ernsthaft die Termini »kriminell« und »politisch« in absoluter Reinheit voneinander scheiden, einer Gruppe gegenüber, die ihre Erfahrungen unter Asozialen und Kriminellen gesammelt hat, und auf dem Hintergrund einer Rechtsgeschichte, wo das Stehlen einer Mohrrübe schon als kriminell galt, wenn ein Pole, Russe oder Jude sie stahl? Das wäre weit unter

einem Denkniveau, wie es unter verantwortlichen Politikern üblich sein sollte.

Ulrike Meinhof will möglicherweise keine
Gnade, wahrscheinlich erwartet sie von dieser Gesellschaft kein Recht. Trotzdem sollte
man ihr freies Geleit bieten, einen öffentlichen Prozeß, und man sollte auch Herrn
Springer öffentlich den Prozeß machen,
wegen Volksverhetzung.

Die inzwischen längst nicht mehr so jungen
Herren Pragmatiker, die allerorts in wichtigen beratenden Funktionen sitzen, manche
von ihnen mitten in der politischen Verantwortung; sie, die gelegentlich Plattheit und
Pragmatismus aufs gröblichste miteinander
verwechseln; die so mühelos und schmerzlos
vom Faschismus in die freiheitlich demokratische Grundordnung übergewechselt haben
oder worden sind; sie waren bis 1945 zu gläu-
big oder zu dumm, um nachdenklich zu werden, im Jahre 1945 waren sie zu jung, um für
schuldig gehalten zu werden. Sie waren
»desillusioniert«, ein bißchen reumütig, sehr
rasch bekehrt, und ihre Schmerzen waren
nicht viel mehr als ein bißchen Hitlerjugend-
wehwehchen.

Diese gelegentlich etwas glattzüngigen

Mechaniker, die alles so gut und das meiste besser wissen und nun, im Vollgefühl ihrer Etabliertheit, hin und wieder mit gelinder Wehmut sich nach Ideologie sehnen (wie nach einem Parfüm, das ihnen fehlt in ihrer absoluten Geruchlosigkeit), ist es ihnen nicht ein bißchen zu leicht geworden und gemacht worden, haben sie nicht ein bißchen zu wenig Ideologie, Weltanschauung, Metaphysik in Erinnerung, als daß sie begreifen könnten, was sie nie erfahren haben: was es bedeutet: verfolgt und gehetzt zu sein, ständig auf der Flucht? Als Politischer, als Krimineller, und als »Krimineller«?

Wollen sie, daß ihre freiheitlich demokratische Grundordnung gnadenloser ist als irgendein historischer Feudalismus, in dem es wenigstens Freistätten gab, auch für Mörder, und erst recht für Räuber? Soll ihre freiheitlich demokratische Grundordnung sich als so unfehlbar darstellen, daß keiner sie in Frage stellen darf? Unfehlbarer, als alle Päpste zusammen je waren? Ich weiß, das sind viele Fragen, aber fragen dürfen wird man ja noch.

Die Bundesrepublik hat mehr als 60 000 000 Einwohner, die Gruppe um Ulrike Meinhof wahrscheinlich inzwischen sechs Mitglieder.

Die Auflage von *Bild* liegt wohl um die 4 000 000, die Zahl der Leser wahrscheinlich um die 10 000 000. Die Weihnachtsbotschaft von Herrn Springer lautete: »Baader-Meinhof-Gruppe mordet weiter«. Mordet. Weiter. Fröhliche Weihnachten gehabt zu haben und ein glückseliges Neues Jahr. Harte Gräten, zähe Karpfen. So viel Liebe auf einmal, wie Herr Springer sie uns bietet, ist schwer zu ertragen, besonders in einem Rechtsstaat.

(10. 1. 72. Der Spiegel)

Bölls »ZEITUNG«-Story:
»Jetzt bumst's«

(in: DER SPIEGEL, 28. 7. 74)

Bestseller-Favorit Nr. 1 für die neue Buchsaison ist Heinrich Bölls neue Erzählung »Die verlorene Ehre der Katharina Blum«. Sie handelt von den fatalen Methoden einer Boulevardzeitung, und Ähnlichkeiten mit »Bild«, sagt der Autor, sind »unvermeidlich«. TV-Anstalten wollen das Werk verfilmen – ohne Bölls Hinweis auf »Bild«.

»Das ist Verhetzung, Lüge, Dreck«, so attackierte Heinrich Böll im Januar 1972 Springers »Bild«.

»Dieser Dreck, dieser verfluchte Dreck«, so schimpft, zwei Jahre später, eine Böll-Figur über die »ZEITUNG«.

Eine denkwürdige publizistische Affäre – Bölls Kontroverse mit »Bild« über dessen Baader-Meinhof-Berichte – hat ein aktuelles belletristisches Nachspiel: In einer Erzählung mit dem Titel »Die verlorene Ehre der Katharina Blum oder: Wie Gewalt entstehen und wohin sie führen kann« attackiert der Kölner Literatur-Nobelpreisträger »gewisse journalistische Praktiken«, und sollten sich dabei, so pointiert er in einem Vorspann, »Ähnlichkeiten mit den Praktiken der ›Bild‹-Zeitung ergeben haben, so sind diese Ähnlichkeiten weder beabsichtigt noch zufällig, sondern unvermeidlich.«

Bölls neues Werk, mit dessen Vorabdruck der SPIEGEL auf Seite 74 beginnt und das bei Kiepenheuer & Witsch als Buch erscheint, handelt – Ort: eine Stadt im Rheinland; Zeit: Februar 1974 – von einer jungen Frau, die sich während des Karnevals in einen von der Polizei gejagten »radikalen Rechtsbrecher« (Verlagsanzeige) verliebt, ihm zur Flucht verhilft, von der Kripo verhört und zum Rufmord-Opfer der »ZEITUNG« wird – einer politisch akzentuierten »ZEITUNG«-Kampagne, die auch Verwandte und Freunde der arglosen Katharina Blum in Mitleidenschaft zieht, sie teilweise als Mitglieder einer linken Verschwörung verdächtigt.

Katharina wird von dem Boulevardblatt als »Mörderbraut«, von dessen Lesern als »Kommunistensau« und »Kreml-Tante« geschmäht. Der »ZEITUNG«-Reporter Tötges dringt, als Anstreicher verkleidet, zu der schwerkrank im Spital liegenden Mutter

Katharinas vor, um ihr einen Kommentar über die vom rechten Weg abgekommene Tochter zu entlocken. Die Mutter stirbt an der Aufregung. Ihre Äußerung über Katharina »Warum mußte das so kommen?« erscheint in der »ZEITUNG« verfälscht. Die »SONNTAGSZEITUNG« meldet dann, die Mutter habe den Schock über Katharinas Verfehlungen nicht überlebt.

Gegen solche Wort-Gewalt greift Katharina schließlich zur Gegengewalt: Sie erschießt den Tötges, der – nicht nur journalistisch – in ihre Intimsphäre eindringen will. In den Worten der Böll-Heldin:

... er kam mir nach und sagte: »Was guckst du mich denn so entgeistert an, mein Blümelein – ich schlage vor, daß wir jetzt erst einmal bumsen.« Nun, inzwischen war ich bei meiner Handtasche, und er ging mir an die Kledage, und ich dachte: »Bumsen, meinetwegen«, und ich hab' die Pistole rausgenommen und sofort auf ihn geschossen ... und ich dachte: »Gut, jetzt bumst's.«

»Personen und Handlung dieser Erzählung sind frei erfunden«, betont kaum überraschend Bölls Vorspann, ehe er gewisse Ähnlichkeiten seiner fiktiven »ZEITUNG« mit der realen »Bild«-Zeitung als »unvermeidlich« bezeichnet.

Unvermeidlich also, sich zu erinnern:

Am 23. Dezember 1971 hatte »Bild« seinen Bericht über einen Bankraub in Kaiserslautern, bei dem ein Polizist erschossen worden war, mit der Schlagzeile »Baader-Meinhof-Bande mordet weiter« aufgemacht – obwohl eine BM-Täterschaft nicht erwiesen war.

Am 10. Januar 1972 kritisierte Böll in einem vom SPIEGEL veröffentlichten Artikel diese (später auch vom Deutschen Presserat monierte) journalistische Voraus-Verurteilung und polemisierte generell gegen die Baader-Meinhof-Berichterstattung von »Bild« (»Verhetzung... Demagogie... Aufforderung zur Lynchjustiz«), die er für die damalige BM-Hysterie in der Bundesrepublik verantwortlich machte: »Ulrike Meinhof muß damit rechnen, sich einer totalen Gnadenlosigkeit ausgeliefert zu sehen.«

Bölls SPIEGEL-Artikel provozierte neben einiger besonnen-begründeter Kritik eine Flut oft wüster Konterpolemik. »Bild« verglich den Schriftsteller mit Goebbels und dem SED-Agitator Karl-Eduard von Schnitzler. »Quick« schrieb: »Die Bölls sind gefährlicher als Baader-Meinhof.«

Bölls neue Erzählung ist gewiß keine Schlüsselgeschichte über »Bild« und BM – wohl aber ein Reflex auf die speziellen Erfahrungen des Autors aus jenem Frühjahr 1972, in dem er, der gegen die boulevardjournalistische BM-Hatz und das von ihr erzeugte »Klima der Denunziation« aufgetreten war, sich schließlich selber als BM-Komplice und »Salonanarchist« denunziert und »gehetzt« fühlte.

In manchem Angriff auf Böll fehlte damals nicht ein anzüglicher Hinweis auf seine Verkaufserfolge in der Sowjet-Union. In seiner neuen Erzählung läßt er die »ZEITUNG« mit ähnlich getönten Informationen über den Wohlstand verdächtiger Personen manipulieren.

In einigen Kommentaren zu Bölls SPIEGEL-Artikel war insinuiert, er habe möglicherweise selber schon gesuchten BM-Leuten Unterschlupf gewährt. Und am Tag der Festnahme Baaders in Frankfurt, am 1. Juni 1972, wurde Bölls Landhaus in der Eifel von Polizei umstellt, die nach weiteren BM-Mitgliedern fahndete; zwei Gäste Bölls mußten sich ausweisen.

Auf diesen Vorfall, den der Schriftsteller damals »merkwürdig und gruselig«, aber auch

»lächerlich« fand, findet sich in der neuen Erzählung ein quasi ironisch-indirekter Reflex: Katharina Blum verhilft ihrem geliebten »Banditen« zum Unterschlupf im rheinischen Landhaus eines Bekannten. (...) Was der Nobelpreisträger von derlei Journalismus hält, hat er nun in der Geschichte vom »ZEITUNG«-Opfer Katharina Blum mit den Mitteln des Erzählers und Satirikers dargelegt. Die Komposition der Erzählung aus Zeugenaussagen, Zeitungszitaten und ähnlichen epischen Teilstücken, ihr Stil und ihre Hauptfigur lassen die »von fern an eine Moritat von verlorener Frauenehre« erinnernde Story – so meint Bölls Verlag – als eine »Fortschreibung des großen Romans ›Gruppenbild mit Dame‹« erscheinen.

Manch altvertrautes Böll-Motiv, Böll, wie er seiner Millionen-Leserschaft seit langem lieb ist, kommt auch in Randszenen und Nebeneinfällen des neuen Erzählwerks zum Zuge: Da flüchtet sich Katharina, nachdem sie, bums, den »ZEITUNG«-Reporter erschossen hat, in eine Kirche – aber »ohne Reue, ohne Bedauern« über ihre Tat, einfach nur, »weil das an diesem Karnevalssonntag der einzige Ort war, wo man ein bißchen Ruhe fand«.

Da wundert sich der Autor ironisch, daß die Zeitungen den Mord an einem Journalisten »als etwas besonders Schlimmes, Schreckliches... man könnte fast sagen wie einen Ritualmord« behandeln: »Als ob – wenn schon auf der Welt geschossen wird – der Mord an einem Journalisten etwas Besonderes wäre, wichtiger etwa als der Mord an einem Bankdirektor, -angestellten oder -räuber.«

Und da gibt es einen satirischen Exkurs über die sittlichen Gefährdungen, denen Beamte ausgesetzt sind, die Telephongespräche von Privatleuten abhören müssen: »Sind sich die vorgesetzten Behörden darüber klar, was sie ihren Beamten und Angestellten da psychisch zumuten?... Ist die psychiatrische Betreuung gewährleistet? Was sagt die Gewerkschaft Öffentliche Dienste, Transport und Verkehr *dazu*?... Haben die Kirchen dazu nichts zu sagen? ... Ahnt denn keiner, was hier unschuldigen Ohren alles zwischen Karamelpudding und härtestem Porno zugemutet wird?«

Daß auch dieses neue Werk Heinrich Bölls ein Bestseller wird wie zuletzt »Gruppenbild mit Dame« und wie seit zwei Jahrzehnten fast alle seine Bücher, scheint Buchmarkt-

Experten schon jetzt gewiß. Kiepenheuer &
Witsch-Chef Reinhold Neven: »Die Vorbe-
stellungen sind noch größer als beim ›Gruppenbild‹.« Startauflage: 100 000.
Mehrere deutsche Fernsehanstalten haben
bereits ihr Interesse an einer Verfilmung der
»Katharina Blum« angemeldet. Geplant ist
eine internationale Koproduktion, die auch
als Kinofilm laufen soll.
Die TV-Macher wollen freilich nicht das
ganze Werk adaptieren: Bölls Vorspann mit
dem Hinweis auf die »Bild«-Ähnlichkeit soll
auf deutschen Bildschirmen fehlen – »er sei«,
referiert Verleger Neven, »für eine öffentlich-
rechtliche Anstalt unmöglich«.

(28. 7. 74. Der Spiegel
leicht gekürzt)

Über Leni, Katharina und andere. Über das Verhalten des Autors zu seinen Romanfiguren. Das Gespräch auch als Fortschreibung.

(aus: H. Böll/Christian Linder, Drei Tage im März — ein Gespräch, Kiepenheuer und Witsch, Köln, 1975)

L: Lassen Sie uns zu der Vorstellung vom Schreiben als einer umgesetzten oder eben auch romanversetzten Autobiographie oder Biographie zurückkehren. In den Grundzügen dieser Biographie haben Sie sich, meine ich, nie verändert, ich könnte auch sagen: in der Orientierung; und deshalb verändern sich auch Ihre Romanfiguren nicht in ihren Grundzügen. Zum Beispiel Leni aus dem »Gruppenbild«. Da ist zwar eine Entwicklungsgeschichte, sie lernt im Laufe des Romans lieben, aber in ihren Grundzügen verändert sie sich doch nicht. Leni, möchte ich sagen, ist eine Figur, die Sie mit all Ihren Wert-Vorstellungen auch aus sich selbst heraus geholt haben. Ich vermute, daß Sie sich mit ihr weitgehend identifizieren.

B: Nein. Das habe ich nie getan. Das ist ein Mißverständnis oder ein Irrtum. Leni ist sehr weit weg für mich, das ist nun mal so, wenn man ein Buch geschrieben hat; aber sie ist ja eigentlich eine stumme Person, statisch, die nur die Bedeutung hat, Menschen um sich zu versammeln, und zwar auch im Sinne von Gruppenbild. Daher auch der Titel, den ich sehr gut finde und den Dieter Wellershoff gemeinsam mit meiner Frau erfunden hat. Vergessen Sie nicht, was ich am Anfang gesagt habe, es handelt sich um einen Annäherungsversuch, bei dem ich nicht kompetenter bin als Sie. Wenn ich jetzt darüber nachdenke, ist Leni aber eigentlich wirklich gar nicht so stark vorhanden; eigentlich nur durch die anderen und in den anderen. Natürlich empfinde ich Sympathie für sie, schon allein deshalb – das klingt jetzt sentimental, aber warum nicht –, weil ich lange mit ihr gelebt habe, und so ein Zusammenleben mit einer Romanfigur kann bis zur plumpen Vertraulichkeit führen; aber identifiziert habe ich mich nie mit ihr.

L: Aber Sie haben sie auch nicht in Frage gestellt.

B: Nein –

L: – warum nicht?

B: Ich glaube, daß Leni innerhalb des Romans, wie ich ihn konzipiert und dann auch geschrieben habe, durchaus ihre Fraglichkeit hat. Das ist sozusagen ihre Voraussetzung. Die Fraglichkeit, das klingt jetzt etwas oberflächlich-paradox, gehört zum Nicht-in-Frage-Stellen. Eine solche Person wie Leni, die ja eine gewisse Reinheit ausstrahlt, kann nur rein bleiben, weil andere unrein werden. Eine ganz wichtige Rolle spielt dabei diese Margret, die fast eine Hure ist und vielleicht sogar noch etwas Schlimmeres, und ohne die die Leni gar nicht zu denken ist.

L: Ja, gut, sie ist eine Komplementärfigur...

B: ...ja, die Reinen und die Guten und die Braven leben ja immer nur, weil es die anderen auch gibt. Nach dem Krieg gab es eine ganze Reihe von Leuten, gute Bürger, die niemals den Schwarzmarkt betreten haben, die gesagt haben, nein, wir leben von unseren

Marken und klauen nichts und kaufen nichts schwarz. Das war natürlich eine Fiktion, weil jeder verhungert oder erfroren wäre, ganz sicher in Köln, der nicht irgendwoher etwas bekam, und dann gab es eben so Leute wie mich, die im Krieg eine ungeheure Schwarzmarkt-Erfahrung gesammelt hatten, von Westfrankreich bis Mittelrußland, und die für diese Leute hier schmutzige Arbeit machen mußten. Ich ging dann also auf den Schwarzmarkt und verscheuerte für jemanden eine Uhr, oder kaufte für jemand anderen Brotmarken oder Butter oder Kaffee oder Zigaretten ... Verstehen Sie? In diesem Sinne hat die Leni schon ihre Fraglichkeit, ihre Unberührtheit ist nicht bewußt, aber aus der Konstellation der ganzen Gruppe um sie herum nur möglich durch die anderen. Die Reinheit der herkömmlichen Bürgerin oder des bürgerlichen Mädchens wird ja nur ermöglicht durch die schmutzige Arbeit von Dirnen.

L: Aber Sie hätten sie etwa ideologisch in Frage stellen können...

B: ... ich brauche mich gar nicht ideologisch zu ihr verhalten. Ich habe sie, ja, ich sage jetzt einfach mal: so gemacht, wie sie da ist, in diesem Ensemble, in dem sie lebt, mit ihrer scheinbaren, nein: nicht nur scheinbaren, sondern: auch einer gewissen schamlosen Reinheit, verstehen Sie? Sie ist ja doch auch eigentlich eine schamlose Person, weil sie unschuldig ist, sagen wir, unschuldig statt rein. Ich habe keine ideologische Einstellung zu ihr, das ist gar nicht möglich, ich kann aus dem, was ich da gemacht habe, keine Ideologie bilden, weil ich vorher keine hatte.

L: Ich bleibe doch dabei: In all Ihren Büchern haben Sie Ihre Romanfiguren nie in Frage gestellt, ideologisch nicht, und auch psychologisch nicht...

B: ... darüber habe ich wirklich noch nicht intensiv nachgedacht. Aber ... nein, ich glaube es nicht. Zum Beispiel Katharina Blum hat durchaus fragliche Züge, finde ich ...

L: ... fragwürdig jetzt insofern, daß ihr Dinge zugeschrieben werden, die von der herrschenden Moral als nicht ganz fein angesehen werden. Aber das verstehe ich nicht als Relativierung. Es ist, finde ich, nur eine Umwertung der herrschenden Moral...

B: ...ich sehe sie als eine durchaus angepaßte Figur, die das Wirtschaftswunder mitmacht, überzeugt davon ist, sehr tüchtig und strebsam sich verhält – was ich jetzt gar nicht ironisch meine –, und die plötzlich durch dieses Erlebnis aus der Bahn geworfen wird. Aber wenn Sie sich dieses Erlebnis jetzt wegdenken – das sie ja nicht herbeigeführt hat, sondern das ihr »widerfährt« –, dann sehe ich sie – ich schreibe jetzt etwas fort, was nicht passiert ist – als sehr erfolgreiche, tüchtige, etwas schüchterne 45jährige Direktorin eines Hotels enden, verstehen Sie? Angelegt in ihrer ganzen Existenz und der Art, wie sie ihre Laufbahn plant und auch die Planung vollzieht, sehr rational nämlich, hat sie ihre Fraglichkeit...

L: ...aber auch gleichzeitig ihre, ich sage jetzt mal: Engelhaftigkeit...

B: ...aber sie ist doch ein lädierter Engel, der sehr durchschnittlich ist...

L: ...aber am Ende doch auch unbeschädigt.

Irgend etwas bleibt am Ende Ihrer Bücher eigentlich immer unbeschädigt, während vieles andere kaputtgeht oder kaputtgemacht wird, und das, was unbeschädigt bleibt, sind Ihre Werte. Ehre zum Beispiel, Ehre in Ihrem Sinn.

B: Sie ist aber doch, bevor sie in diese Verstrickung gerät, ein ziemlich lädierter Engel, und insofern ist das In-Frage-Stellen immer in jeder Figur drin. Auch in den Kriegsgeschichten sind die Figuren doch nicht so rein und unschuldig, wie das manchmal erschienen ist, das kann ich nicht verstehen.

L: Was ich meine: es ist doch auch denkbar, daß man alle Figuren, die man erfindet, psychologisch sofort wieder in Frage stellt. Das haben Sie nie getan.

B: Vielleicht liegt hier zwischen uns ein Mißverständnis über Psychologie vor. Ich glaube nicht, daß ich ein psychologischer Autor bin, in den Büchern sind zwar psychologische Elemente drin, aber ganz sicher nicht im Sinne des klassischen psychologischen Romans. Und da wird nun eine Frage wie die, ob die

Figur psychologisch in Frage gestellt wird oder nicht, schwierig zu beantworten, weil Psychologie nicht die Voraussetzung ist, zwar reinkommt, aber...: angelegt als solche psychologische Studien sind sie nicht –

L: – nein, nein, ich meinte, daß Sie dieses...

B: ...ja, ich weiß, es ist sehr kompliziert. Personen, hingenommen in ihrer Realität, die gleichzeitig geschaffen ist. Aber wenn ich jetzt sage: ich nehme sie hin in ihrer Freiheit, stimmt das auch wieder nicht ganz, weil ich sie ja komponiert habe. Vorausgesetzt bei unserem Gespräch müßte sein, daß das, was ich über meine eigenen Bücher sage, nur oberflächlich sein kann –

L: – ja, weil einer sein eigenes Schreiben vielleicht ganz falsch sehen kann, weil er es nämlich aus der Nähe und der Ferne zugleich sieht...

B: ...ja, ich kann das nicht rekonstruieren. Ich finde Auskünfte, die jemand über Bücher gibt, die er selbst geschrieben hat, immer peinlich, weil sie auch notwendigerweise einseitig sind, nie total sein können. Was Sie über das Psychologische gesagt haben – ich gehe nie psychologisch an meine Figuren ran, ich lasse sie frei, ich versuche, mich ihnen gegenüber vorurteilsfrei zu verhalten, und Psychologie ist ja bis zu einem gewissen Grade immer auch ein Vorurteil.

L: Sie müssen also von Ihren Figuren eine sehr sinnliche Vorstellung haben oder sich beschaffen, meinen Sie? Wie sie gekleidet sind, wo sie wohnen, wie, Eßgewohnheiten und so weiter?

B: Ja, obwohl ich das gleich wieder einschränken muß: das ist nicht immer so. Es kommen auch Elemente von außen, die mich stimulieren, allerdings ist es nicht so, daß ich die Person malen könnte, verstehen Sie? Sagen wir, ich wäre ein Maler: ich könnte die Figuren nicht porträtieren. So genau ist die Vorstellung also nicht, daß ich ein Bild von ihr hätte, das ich, wenn ich Porträtist wäre, malen könnte. Es ist mehr eine sprachliche Sinnlichkeit, Materialisation in der Sprache, die aber niemals in einem anderen Medium versinnlicht werden könnte – für mich nicht.

L: Ich sagte eben, daß am Ende Ihrer Bücher irgend etwas immer unbeschädigt bleibt. Zum Beispiel Ehre. Zum Beispiel die Ehre Katharinas. Sie schießt, sie versucht durch diesen Schuß ihre Ehre wiederherzustellen...

B: ...ja, ein Versuch, die Ehre wiederherzustellen, der, wie ich hoffe, in der Versinnlichung dieser Person logisch ist.

L: Man könnte vielleicht auch sagen: es ist der Versuch, die Integrität zu bewahren, das ist ja etwas ganz Wichtiges in Ihren Büchern. Aber der Versuch gelingt nicht. Denn die Geschichte geht ja weiter, nur die Entwicklung bleibt ungeschrieben.

B: Ja, so möchte ich es auch sehen. Die Geschichte des Buches ist zu Ende, aber die Person entwickelt sich weiter. Diese Entwicklung wollte ich aber nicht mehr schreiben.

L: Ja, ich meine, die Fortsetzung – Katharina Blum im Gefängnis und das, was jetzt aus ihr wird – gehört natürlich dazu. Die Erschießung eines Menschen, gerade in einem solchen Fall, wo es um Öffentlichkeit geht und um permanente öffentliche Verletzung und sogar Zerstörung ihrer Ehre, ist ja nun im Buch gar nicht reflektiert. Man müßte wissen, wie das so funktioniert, im Medienapparat, daß jemand überhaupt auf diese Straße des Journalismus gebracht und darauf entlanggejagt wird...

B: ...ja, Sie haben recht, und Volker Schlöndorff, der die Geschichte gerade verfilmt, hat für seinen Film ein anderes Ende gefunden, das ich sehr sehr gut finde, weil es ein Fortdenken der Geschichte ermöglicht: Schlöndorff läßt den Journalisten zu Katharina sagen, na, was regste dich denn eigentlich auf, ich kann doch gar nichts dafür, die anderen machen doch die Schlagzeilen, ich liefere nur die Story, die anderen bereiten sie auf, ich will dir doch eigentlich gar nichts – verstehen Sie? Dieser Journalist deklariert also mit starkem Zynismus im Film seine Unschuld und schlägt ihr – was sehr logisch ist – ein Geschäft vor, sagt – ich referiere jetzt mal ganz grob –: hör mal, Mädchen, da ist doch 'ne Menge Geld für dich drin, jetzt schreibst du

deine Story und kriegst 10 000 Mark dafür ...
Ich finde diesen Schluß des Films sogar besser
als den des Buches, wo Schuld und Unschuld
und gerechte Ehre so scheinbar integer oder
nicht integer aufeinanderprallen. Ich glaube
nicht, daß jemand seine Ehre und seine Integrität durch einen Mord wiederherstellen
kann. Die Katharina muß das machen. Sie.
Und zwar so, wie sie versinnlicht ist. Da
bestehe ich auch drauf, als Autor und Verant-
wortlicher.

L: ... Ja, ich als Leser bestehe natürlich auch
drauf! ...

B: ... ja; aber wenn man weiterdenkt, und das
müssen wir, dann kann man natürlich nicht
durch einen Mord, und wäre es ein Mord am
schlimmsten Schwein, seine Integrität wiederherstellen. Deshalb widerspreche ich – der
Integrität ... Ich finde es auch richtig, daß sie
nicht integer bleibt. Das ist jetzt gar nicht
gegen das Buch gerichtet, sondern gegen den
Vorwurf der Integrität. In dem Augenblick,
wo Katharina den Jorunalisten erschießt,
haben Sie recht, da ist das sozusagen wegge-
waschen. Aber das geht ja weiter, das hat ja

Folgen. Ich sehe sie anschließend im Kittchen und sehr sehr viel reflektieren...Und so integer finde ich das auch nicht, daß sie ganz offenkundig einen Kriminellen versteckt und laufenläßt. Als Autor finde ich das phantastisch, respektiere ich es. Das muß so sein. Das verteidige ich bis zuletzt. Aber es ist nicht nur ihre Stärke, es zeigt doch auch ihre Schwäche, Gott sei Dank, und ihre Nicht-Integrität, Gott sei Dank...Die Gefahr bei so einem Buch, das natürlich nur als eine Malvorlage gedacht ist, liegt darin, daß man das Ikonographische oder Plastische zu rasch akzeptiert...Aber ich sehe sie wirklich nicht so rein.

L: Katharina Blum, um wieder auf die romanversetzte Autobiographie zurückzukommen, ist sie als Person zu verstehen, die Sie auch aus sich selbst heraus geholt haben, mit all Ihren Erfahrungen, was die Medien betrifft, und war es nicht eine Befreiung, dieses Buch zu schreiben? Es ist ja immer wieder im Zusammenhang mit der Erzählung von der Katharina gesagt worden, Sie hätten das, was Ihr Baader-Meinhof-Artikel im *Spiegel* ausgelöst hat, umzusetzen versucht, diesen ganzen

Dreck, den man Ihnen dann aufladen wollte, wieder dahin zurückwerfen wollen, wo er herkommt und wohin er auch gehört.

B: Ich glaube, auch das ist ein Irrtum oder Mißverständnis, dieses Buch im Zusammenhang mit der Baader-Meinhof-Geschichte zu sehen. Diese damalige Auseinandersetzung hat mich, was den Ur-Artikel betrifft, der alles ausgelöst hat, überhaupt nicht sehr erstaunt und auch nicht so sehr mitgenommen; denn ich wußte ja, was ich tat, und ich wußte auch, welchen Konzern ich reizte. Was vielmehr sehr böse war und ich als schlimm empfunden habe innerhalb dieser Kampagne – oder sagen wir: dieser Auseinandersetzung, denn es war ja nicht einseitig, ich habe ja zurückgeschlagen –, war etwas ganz anderes. Ich bin froh, daß ich darüber sprechen kann. Das war die Vermischung meines Artikels über die Baader-Meinhof-Geschichte mit dem permanent erhobenen Vorwurf, ich täte nichts für meine sowjetischen Kollegen. Das war eine nachweisbare und damals auch für die, die mit diesem Vorwurf kamen, nachprüfbare Verleumdung bösester Art. Das war der Versuch, das eine mit dem anderen abzu-

schießen. Und diese Verleumdung, gegen die ich mich gar nicht öffentlich wehren konnte – ich konnte ja nun nicht sagen, also hört mal, ich habe dies und das getan, ich war bei diesem und jenem und habe dies und das mit dem und dem besprochen und folgendes in die Wege geleitet, verstehen Sie, dadurch wäre all das, was im Untergrund vorbereitet worden war und nur dort passieren konnte, um etwas zu erreichen, gefährdet gewesen, verstehen Sie? –, diese Verleumdung hat mich nun wirklich sehr mitgenommen, weil ich mich eben nicht wehren konnte. Gegen die anderen Polemiken habe ich mich bis zu einem gewissen Punkt gewehrt, dann habe ich gedacht, leckt mich am Arsch, macht ruhig weiter.
Insofern hat die ganze BM-Geschichte mit der Katharina Blum nur sehr wenig zu tun. Ich habe eine Zeitlang einen meiner gelegentlichen Mitarbeiter gebeten, die *Bild*-Zeitung und andere Boulevardblätter auf eklatante Verleumdungen von unbekannten und bekannte Personen durchzusehen. Sagen wir mal: Schauspielerin X hat gestern mit Regisseur Sowieso geschlafen, Ehemann hat sie ertappt, und so weiter. Die übelste Art also von Kolportage, meistens mit Namen oder

Bild. Und da habe ich mir überlegt, was wird aus diesen Menschen. Irgend jemand steht in so einem Boulevardblättchen, wird plötzlich für ein, zwei Tage zur Sensation, und keiner weiß, was mit dem Leben dieser Menschen danach passiert. Diese Geschichte habe ich regelrecht studiert, Material gesammelt, und daraus schließlich die Geschichte einer völlig unbekannten und belanglosen Zeitgenossin gemacht, die plötzlich einer solchen Verleumdung ausgesetzt wird. Insofern hat es natürlich einen autobiographischen Zug und einen biographischen Einstieg. Das Wichtigste dabei ist, daß ich mich relativ wehren kann, ich kann immer noch Artikel schreiben und versuchen, die irgendwo unterzubringen; aber das kann ja ein Mensch in der geschilderten Lage überhaupt nicht, der ist ja vollkommen hilflos. Das war das Motiv.

(aus: H. Böll/Christian Linder, Drei Tage im
März — ein Gespräch, Kiepenheuer und
Witsch, Köln, 1975)

Auszüge aus Interviews und Gesprächen Heinrich Bölls über »Die verlorene Ehre der Katharina Blum«

Zunächst muß man eins ganz klarstellen: Katharina Blum ist keine politische Person, sie ist keine Anarchistin, sie ist ein sehr braves, tüchtiges Mädchen, das voll, ganz voll im Wirtschaftswunderdenken verankert ist. Sie ist also eine tüchtige Konformistin – ob sympathisch oder nicht, das ist mir gleichgültig. Und diese Person, die völlig unpolitisch ist, gerät durch einen Zufall, man kann sagen durch diese Liebesbeziehung zu dem jungen Mann – der auch kein Anarchist ist, das wollen wir festhalten, das ist ein Deserteur, kein politisch Krimineller, sondern ein richtiger Krimineller – in diesen Verdacht, und beide werden dem ganzen ungeheuer komplizierten Überwachungssystem ausgeliefert. Die junge Frau gerät in die Schlagzeilen und wird eigentlich politisch, oder sagen wir ›bewußt‹, durch die Behandlung, die sie erfährt. Ich glaube nicht, daß man sie auch nur andeutungsweise als Anarchistin definieren kann.

Das kann man nicht, und ich wußte, was ich tat, als ich die Erzählung schrieb. So zufällig und unüberlegt entsteht das ja nie. Mir lag vielmehr daran, das politische Bewußtwerden einer unpolitischen Person zu schildern und auch, wie jemand, der völlig unpolitisch ist und auch nicht politisch handelt, sondern sehr spontan handelt in puncto Liebesbeziehung zu Göttern, plötzlich zur politischen Verbrecherin gestempelt werden kann. Das ist das Problem des Buches. Katharina ist keine Anarchistin. Sie ist hier dazu gemacht worden von der Presse und von einer bestimmten Schicht von Intellektuellen, die einfach nicht wahrhaben wollen, wie solche Dinge laufen; die so in ihrem elfenbeinernen Turm da ›rumhocken‹ als hochdotierte Redakteure und nichts von der Wirklichkeit erfahren wollen.

Interview von Gerrit Bussinik für *Spectacle*, Katholieke Radio Omroep Hilversum, 15. 3. 1977

Die Bindung Katharinas an diesen jungen Mann ist weder mit juristischen noch mit moralischen Kategorien zu erfassen. Und da fängt ihre Verstrickung an, fängt auch die Unerklärlichkeit an. Es gibt unerklärliche Dinge, es gibt Geheimnisse; dazu gehört auch ihr Wunsch, ihn zu decken, was ja kriminell ist. Liebe ist nicht gerecht und nicht moralisch. Diese, sagen wir, erotische und sexuelle Bindung ist nicht moralisierbar. Das ist nicht meine Schuld. Wenn ich einen alten Freund hätte, den ich wirklich gern habe, vielleicht sogar liebe, und er würde einen Mord begehen, blieb der natürlich mein Freund. Ich kann doch nicht als Person Urteile der Gesellschaft, die man objektiv richtig findet, übernehmen. Das ist das Problem des ganzen Buches. Die Gesellschaft, jetzt als Neutrum gesehen, die Polizei, die Staatsanwaltschaft, die Zeitungen, sind rasend darüber, daß diese junge Frau diesen jungen Mann nicht fallenläßt. Wenn das keine Verstrickung ist und auch keine Verschuldung im Sinne sogar der klassischen Tragödie – es ist ja ein mythischer Stoff, das ist doch reiner Mythos, das Ganze –, dann weiß ich gar nicht, was ein Schriftsteller noch schreiben soll.

Interview von Manfred Durzak. In: Manfred

Durak, *Gespräch über den Roman*, Frankfurt/M. 1976, S. 141

Ich setze beim Leser – nennen wir ihn so –
genug Sensibilität voraus, sich kritisch dieser
Katharina zu nähern. Schauen Sie sich doch
an, was sie macht! Sie ist eine ziemlich prüde
Person, sie hat fast anankastische Züge. Ihr
Einstieg in dieses Verbrechen, das sie begeht,
ist fast ausschließlich erotisch bedingt. Sie
liebt nun einmal diesen Menschen, zugegeben, auf eine sehr romantische Weise. Aber
ich finde sie gar nicht heldenhaft und heilig,
wie viele Kritiker sie empfunden haben. Das
hat mich überrascht. Und schauen Sie sich
den Lebenslauf an, analysieren Sie ihn exakt!
Das ist eine reine Karrierefrau, die auf konventionelle Wirtschaftswunderweise ihre
Chance erkennt und wahrnimmt, die in
ihrem Beruf liegt, sehr intelligent und wachsam einfach auf ihren materiellen Erfolg aus
ist. Sie wird – jetzt argumentiere ich psychologisch – in eine solche Sache verstrickt,
nicht ganz unschuldig übrigens, sie weiß ja
genau, daß der Bruder ein bißchen auf dem
Kerbholz hat – das ist für mich der Einstieg,

und da ist auch in der so beschriebenen und im Lebenslauf so dargestellten Person die kritische Annäherung an die Katharina die Voraussetzung für das andere.

Interview von Manfred Durzak. In: Manfred Durzak, *Gespräche über den Roman*, Frankfurt/M. 1976, S. 135 f.

Das ist schon im *Gruppenbild* paradox, indem eine völlig unpolitische Person zum Katalysator für politische Vorgänge wird. Ich halte es für legitim, weil gerade ein unpolitischer Konflikt – nennen wir es so – bei Katharina Blum die politischen Manipulationen und Dimensionen zeigt. Gerade weil die beiden unpolitisch sind, finde ich das politisch.

Interview von Manfred Durzak. In: Manfred Durzak, *Gespräch über den Roman*, Frankfurt/M. 1976, S. 143 f.

Ja, die Erzählung steht natürlich auch in der realistischen Tradition, das gebe ich zu. Aber die Schwierigkeit ist die – das ist schon im

Gruppenbild als Ganzes mißlungen –, daß ich im Grunde versuche, ikonographische Klischees zu zerstören, aber neue bilde dabei. Das ist mir beim *Gruppenbild* besonders klargeworden. Es sollte eigentlich eine antiikonographische Sache sein, während man das Ganze als eine Art Seligsprechung sehen kann. Merkwürdigerweise leuchtet mir das nachträglich ein, daß das eine Möglichkeit ist, das Buch so zu sehen. Ich will damit nur sagen: Ikonographie zu zerstören, ohne neue zu bilden, scheint unmöglich zu sein.

Interview von Manfred Durzak. In: Manfred Durzak, *Gespräche über den Roman*, Frankfurt/M. 1976, S. 138 f.

Es spielt in diesem Jahr, in dieser Zeit, in dieser bundesrepublikanischen Gegenwart, bei der sehr vieles unentschieden ist. Das dürfen Sie nicht vergessen, wenn Sie den Vergleich mit dem *Gruppenbild* machen. Das ist ein Roman, der – ob geglückt oder nicht – sehr weit zurückgreift und Entwicklungen zu zeigen versucht, die sehr hintergründig, tiefgründig sind. Dies hier ist ein Pamphlet in

Form einer Reportage, oder wie man's nennen soll, die einen ganz anderen Anspruch hat. Das ist doch eine legitime Ausdrucksform, die man mögen mag oder nicht, aber es ist doch ein politisches Pamphlet.

Interview von Manfred Durzak. In: Manfred Durzak, *Gespräche über den Roman*, Frankfurt/M. 1976, S. 150

Die Moral in diesem Falle wäre: Lest mit äußerstem Mißtrauen Zeitungen, alle. Und wenn man der Gegenstand der Presse ist, wird man immer mißtrauischer. Nicht nur, was die eigene Person betrifft, sondern auch, was über andere mitgeteilt wird. Ich lese sehr viele Zeitungen, manchmal 4 oder 5 verschiedene an einem Tag und vergleiche immer, wie schreiben die jetzt über Chile und die und die und die. Ich stelle mir vor, ich wäre nur der Leser einer Zeitung. Ich wäre verloren. Auch eine weitere Moral wäre: Glaubt nicht an die Unfehlbarkeit der Zeitung, die ja immer unterstellt wird. Wenn Sie mal dahintergukken, sagen alle Leute »das stand aber in der Zeitung« und halten das für einen Wahrheitsbeweis. Das wäre meine Moral: Mißtrauisch sein, und wenn man zum Opfer wird, nicht nur bloß Gegenstand, sich wehren dagegen, wie, weiß ich nicht. Diese junge Dame wählt diesen Weg, den ich nicht empfehlen kann, aber es gibt andere Möglichkeiten, sich zu wehren und die Unfehlbarkeit der Zeitungen permanent in Frage zu stellen. Das wäre meine Moral.

Interview von Dieter Zilligen für NDR, Fernsehen III. Programm, Bücherjournal, 19. 10. 1974

Ich bin erstaunt über die Wirkung der *Katharina Blum*. Das rechtfertigt fast sogar die Schwächen. Das ist mir alles egal, alles, was man schlecht daran findet, das mag stimmen, es ist mir gleichgültig in dem Fall, wo ich die direkte politische Wirkung sehe. Da habe ich auch das Politische wieder. Natürlich trifft mich Kritik, vor allem solche, die berechtigt ist, aber in dem Fall – das ist meine Ausnahme in meiner ganzen Karriere und auch in meiner Reaktion auf die Kritik – bin ich zufrieden – das ist ein dummes Wort –, sagen wir eher befriedigt von der Wirkung, die das Buch hat. Und auch mit der, sagen wir, gewissen Bewegung in der deutschen Presse, die jetzt doch gerade auf bestimmte Phänomene gerade der »Bildzeitung« aufmerksam wird. Insofern sehe ich mich zum erstenmal gerechtfertigt durch die Wirkung.

Interview von Manfred Durzak. In: Manfred Durzak, *Gespräche über den Roman*, Frankfurt/M. 1976, S. 151

Walter Jens: Buchrezension zu »Die verlorene Ehre der Katharina Blum«

(23. 7. 74, Hessischer Rundfunk)

Fast scheint es, als hätten die deutschen Schriftsteller in den letzten Jahren ein neues Thema entdeckt: Während Uwe Johnson in seiner Tetralogie ein ebenso profundes wie witziges Porträt der »alten Dame« aus Amerika, der »New York Times«, gezeichnet hat, ist jetzt *Heinrich Böll* darangegangen, in einem »Die verlorene Ehre der Katharina Blum« titulierten Traktat die Eigenarten jener journalistischen Verfahrensweise zu analysieren, die man gemeinhin als »Bildzeitungs-Jargon« bezeichnet. Beide, Johnson und Böll, kennen ihr Objekt sehr genau, beide bedienen sich der Technik des Zitats: der eine, Johnson, essayistisch und wirklichkeitsnah, der andere, Böll, mit Hilfe der – nicht weniger wirklichkeitsgetreuen – Fiktion. Beide – und das ist entscheidend – beschreiben das Geschehen aus einer doppelten Perspektive: Es wird geschildert, wie die gleichen Vorgänge sich aus der Sicht der Betroffenen und aus der Sicht der Presse ausnehmen: Johnson konfrontiert die große Welt der New York Times mit der kleinen Welt der Gesine Cresspahl und ihrer Tochter, Böll stellt der kleinen Welt der Wirtschafterin Katharina Blum die in anderer Weise kleine Welt der ZEITUNG – eine Chiffre für BILD – gegenüber. Der Unterschied liegt auf der Hand. Während Gesine Cresspahl allenfalls indirekt – und nicht entschiedener als jeder andere auch – zum Objekt von Vorgängen wird, die in der New York Times ihren Niederschlag finden, ist, bei Böll, die Wirtschafterin Blum selber das Subjekt, das den Geschehensablauf in Bewegung setzt, an dessen Ende sie als Opfer erscheint. Als Opfer der Zeitung. Als Beute des Boulevardjournalismus. Zur Strecke gebracht von einer Berichterstattung, die nur ein einziges Ziel verfolgt: Die Mächtigen zu schonen, die Kleinen zu erledigen – und dabei den Millionen von Kleinen einzureden, daß ihrer aller Freiheit dahin sei, wenn einer von ihnen es wage, sich zu nehmen, was, nach Gesetz und Ordnung, nicht den Vielen zustünde, sondern allein den Wenigen. *Die verlorene Ehre der Katharina Blum*, ein exakt komponierter Traktat über die Frage

»*Wie Gewalt entstehen und wohin sie führen kann*« (so der Untertitel der Böll'schen Erzählung) hat die Form eines Berichts, der auf einer Reihe höchst unterschiedlicher, einander zum Teil ergänzender, zum Teil widersprechender Quellen basiert: Gerichtsprotokolle werden verwertet, Aussagen notiert, Verhöre in raffender Zusammenfassung wiedergegeben, Lebensläufe zitiert, Stellungnahmen der beteiligten Personen vorgeführt, die Verfälschung des Geschehens durch die ZEITUNGS-Ideologie ausführlich belegt. *Ein* Vorgang, gespiegelt aus vielerlei Sicht, aus der Sicht der Macht und der Ohnmacht, vom Zentrum aus und von der Peripherie her, aus dem Blickwinkel des Opfers und dem Blickwinkel der Täter – darum geht es in dieser poetischen Dokumentation, die Widersprüche nebeneinander stehenläßt, Unvereinbares nicht harmonisiert, aber durch die Art wie sie – vor- und zurückgreifend, verbindend und trennend – die Zeugnisse präsentiert, den Vorgang dennoch Schritt für Schritt erhellt. »Wenn der Bericht« – heißt es in einer – sprachlich leider verunglückten – Rechenschaft über die gewählte Erzählweise, »wenn der Bericht...hin und wieder als ›fließend‹

empfunden wird, so wird hierfür um Verzeihung gebeten: es war unvermeidlich. Angesichts von ›Quellen‹ und ›Fließen‹ kann man
nicht von Komposition sprechen, so sollte
man vielleicht statt dessen den Begriff der
Zusammenführung (als Fremdwort dafür wird
Konduktion vorgeschlagen) einführen, und
dieser Begriff sollte jedem einleuchten, der je
als Kind (oder gar als Erwachsener), in, an und
mit Pfützen gespielt hat, die er anzapfte,
durch Kanäle miteinander verband, leerte,
ablenkte, umlenkte, bis er schließlich das
gesamte, ihm zur Verfügung stehende
Pfützenpotential in einem Sammelkanal
zusammenführte, um es auf ein niedrigeres
Niveau ab-, möglicherweise gar ordnungsgemäß oder ordentlich, regelrecht in eine
behördlicherseits erstellte Abflußrinne oder
in einen Kanal zu lenken. Es wird also nichts
unternommen als eine Art Dränage oder
Trockenlegung. Ein ausgesprochener Ordnungsvorgang!«
Das *klingt*, aber das *ist* nicht ironisch: Unge-
achtet des ständigen Perspektivenwechsels,
der Zeitsprünge, des Alternierens von Erzählung und Kommentar, hat »Die verlorene
Ehre der Katharina Blum« als Kunstwerk tat-

sächlich den Charakter eines Ordnungsvorgangs. Was immer geschieht: der Autor, der, wie ein altvorderlicher Berichterstatter, das Geschehen vom Olymp aus verfolgt, verliert die Zügel nie aus der Hand: verleugnet in keinem Augenblick seine Omnipräsenz, gibt Hinweise auf die Funktionalität der einzelnen Dokumente im Rahmen des Ganzen, stellt Fragen, schaltet sich, hier distanziert und dort mit dem Engagement des Parteigängers, in die Handlung ein: Der Erzähler in den Erzählvorgang. Auf diese Weise gewinnt ein Geschehen, das zu Beginn als ein brutales Faktum, im Chronikstil: mit Datum und Zeitangabe referiert wird, Plausibilität. Anfang und Ende entsprechen einander, die Erzählung ist ringkompositorisch gebaut: Am Anfang schildert der Chronist, *was* geschah, am Ende läßt er seine Protagonistin schildern, *wie* es geschah. *Was* geschah, ist in wenigen Worten erzählt: Eine junge unbescholtene Frau, die Wirtschafterin Blum, hat, bei einer Tanzveranstaltung um die Faschingszeit, einen Mann kennen- und liebengelernt – einen von der Staatsmacht gesuchten Deserteur, den sie, nach einer Nacht in ihrer Wohnung, dem Zugriff der Polizei entzieht, indem sie ihn, den man des Raubüberfalls auf eine Bank bezichtigt, durch das Schachtsystem ihres Hauses lotst und ihm Unterschlupf in der Villa eines reichen, sie umwerbenden, aber von ihr abgewiesenen Verehrers, eines sogenannten (aber eben nur sogenannten) »Herrenbesuches« gewährt. Dort wird der Mann später verhaftet – und verhaftet wird auch Katharina Blum, weil sie, erniedrigt und beleidigt durch die Interpretation, die ihre Hilfeleistung in der ZEITUNG erfuhr, den verantwortlichen Journalisten niederschoß: einen Mann namens Tötges (nomen est omen: Es handelt sich hier wirklich um ein Schreibtischmörderlein vom Rhein)...einen Mann, der nicht nur Katharina Blum selbst, sondern auch ihre Mutter auf dem Gewissen hat, in deren Krankenzimmer er sich Einlaß verschaffte: Statt der Todesspritze die Nachricht, daß ihre Tochter eine Verbrecherin sei.

Wie gesagt, das »Was« ist schnell erzählt: Eine Frau, die aus Liebe gehandelt hat und dafür an den Pranger gestellt wird, erschießt den Mann, der ihr die Ehre geraubt hat. Ganz anders steht es mit dem »Wie« und »Warum«, mit den Vorgängen hinter den Vorgängen, den Faktoren, die die Fakten bestim-

men, mit der Genese des Falls, seinen Weite-
rungen und Konsequenzen, seiner gesellschaftlichen Bedingtheit und der Lehre, die
aus ihm zu ziehen ist ... doch gerade dies: Das
Geschehnis als begründetes und abgeleitetes
Element eines Gesamtgeschehens zu erwei-
sen, gelingt Heinrich Böll – sieht man von
einigen kabarettistischen Überzeichnungen,
wie Blornas Niedergang ab – in seinem Traktat auf nahezu vollkommener Weise. Die
Manier verrät hohen Kunstverstand, mit der
er, sehr sanft und behutsam, die Verstrickungen beschreibt, in die einer geraten kann, der
seinem Herzen folgen will, zu welchen Ver-
wicklungen ein Liebesdienst zu führen vermag, wenn die Verhältnisse nicht so sind, wie
sie sein sollten, und welchen Demütigungen
diejenigen ausgesetzt sind – welcher Ver-
einsamung! –, die einem guten Menschen in
einer Gesellschaft beistehen möchten, in der
sich Güte nicht auszahlt. Es ist beeindruk-
kend, mit welcher schriftstellerischen Akku-
ratesse (und, dabei, mit wieviel politischer
Humanität) Böll die *Prozessualität* dieses Fal-
les entwickelt und derart veranschaulicht,
daß es eine ideologische Gewalt gibt – symbo-
lisiert durch die ZEITUNG –, die so satanisch

ist, daß nicht einmal das Lamm ihr gegenüber seine Unschuld zu behaupten vermag.

So betrachtet ist der Traktat von der Gewalt (der ZEITUNG und ihrer Handlanger in Staat und Gesellschaft: den Auftraggebern und den Angestellten dieser Ideologiefabrik) ... so betrachtet ist der Traktat von der Gewalt der ZEITUNG und der Gegengewalt einer reinen, frommen und hilflosen Seele ein vom Geist der demütigen Kirche bestimmter Traktat: Die Tötges und ihresgleichen, so viel steht fest, hätten auch Franz von Assisi zum Verbrecher gestempelt, zum Rebellen und Roten ... und die Frage bleibt, ob er, um seine Ehre zu retten, anders gehandelt hätte als die Wirtschafterin Blum.

(Hessischer Rundfunk, 23. 7. 74)

Hans Habe:

Requiem auf
Heinrich Böll

(in: DIE WELT, 18. 8. 74)

I.

Von Schmerz gebeugt, berichten wir vom
schriftstellerischen Hinscheiden unseres lieben literarischen Vaters, Großvaters, Onkels,
Vormunds und Idols Heinrich Böll, geboren
am 21. Dezember 1917 zu Köln, verblichen
im Juli 1974 bei Kiepenheuer & Witsch,
Nobelpreisträger, Präsident des Internationa-
len PEN a. D., Träger hoher und höchster
Adjektive, guter Mensch von Köln, der nach
schweren, mit Ungeduld ertragenen Leiden
an den Folgen seiner Erzählung »Die verlorene Ehre der Katharina Blum oder: Wie
Gewalt entstehen und wohin sie führen
kann« im Herrn unsanft entschlafen ist.

II.

Spaß beiseite – denn um einen Spaß handelt
es sich, da ich dem Hochgeehrten von Herzen
einen geruhsamen Lebensabend wünsche. –
Jeder Schriftsteller schreibt gelegentlich ein
schlechtes Buch. Sinclair Lewis' »Cass Tim-
barlane« ist ebenso schwach wie Heinrich
Manns »Mutter Marie«, und Bernard Shaws
Schaupiel »The Apple Cart« ist gar fürchterlich. Nur selten geschieht es jedoch, daß ein
Buch seinen Autor vollends entlarvt, seine
Unfähigkeit zu lieben, seinen Hang zum
intellektuellen Pharisäertum, die Schwäche
seiner Logik und die Maßlosigkeit seines
Urteils. Ein solches Buch ist die Mär von der
blütenreinen Hausangestellten, die, nur weil
sie einen blütenreinen Terroristen liebt, von
der Boulevardpresse zum Mord getrieben wird
– mit Werfel zu sprechen: Barbara oder Die
Unfrömmigkeit.

III.

Warum ein gutes Buch entsteht, aus Liebe
oder aus Rache, aus Trauer oder aus Jubel, aus

gesellschaftlicher Rebellion oder aus persönlicher Kränkung, ist gleichgültig. Anders verhält es sich mit wohlfeilen Texten – wenn aus schlechten Motiven ein schlechtes Buch wird, darf man das Dunkle hellhörig prüfen. Heinrich Böll hat einen, übrigens verzeihlichen, Fehler begangen, als er die Baader/Meinhof-Bande, noch ehe alle ihre Untaten bekannt wurden, mit Leib und Seele verteidigte. Andere, so die »Bild«-Zeitung, von der dieser Schlüsselroman spricht, wußten es besser. Statt aber seinen Irrtum zu bekennen oder betroffen zu schweigen, rächt sich Böll an jenen, die es richtiger sahen: Man weiß jetzt, warum er nimmermehr an die Unfehlbarkeit des Papstes glaubt – er glaubt an seine eigene. Er liebt seine Fehler, wie andere ihre Tugenden lieben, er ist verliebt in seinen kleinlichen Ärger. Damals wurde Böll heftig angegriffen, und nun präsentiert er seine Empfindlichkeit auf eine Weise, die eines von Berufs wegen so guten Menschen unwürdig ist – nicht ein verfolgter Schriftsteller, der sich ja wehren kann, ist sein Held, sondern eine wehrlose Schöne ist seine Heldin, die sich nur mit dem Revolver wehren kann. Zugleich mutet er dem Leser zu, den Autor mit der

heiligen Katharina zu identifizieren, was zu
einem literarischen Kurzschluß führen muß:
Man weiß, warum die »Bild«-Reporter Böll
nicht liegen, versteht jedoch nicht, warum die
ebenso lebenslustige wie wohlhabende Haus-
dame einen von ihnen umlegt. Und wenn
man nach der Lektüre der »Katharina« nicht
von einer Aufforderung zu Gewalt spricht,
dann nur deshalb, weil aus dem guten Menschen von Köln ein törichter Mensch von
Köln geworden ist. Der »gute Mensch von
Köln« sieht mit christlicher Nächstenliebe
die Schwächen der Mörderin, bei den Schwächen des Opfers hört seine Nächstenliebe
abrupt auf. Der Herr verzeihe ihm, er weiß
nicht, was er tut.

IV.

Heiliger Karl Kraus, der verkündete, daß die
verratene Sprache den Sprachtäter verrät!
Heinrich Böll, der eine glänzende Zukunft
hinter sich hat, hatte zur deutschen Sprache –
eine Lästerung, es auszusprechen? – immer
ein gestörtes Verhältnis, nun ist es schlimmer
geworden, nämlich ungestört. Ungestört

bringt er das Wort »Befaßtheit« zu Papier; ungestört wiederholt er in wenigen Zeilen »offensichtlich« und »offenbar«, »doch« und »doch«, »keineswegs« und »keineswegs«, »natürlich« und »natürlich«; ungestört schreibt er, daß seine Katharina in eine Zelle »verbracht« wurde, während ihr Bruder »einsaß«; der Urlaub war nicht vorbei, sondern »hinüber«, Quellen wären »abzuforschen«; ungestört erlaubt er sich die Sprachdummheit: »...da hier nicht ge-, sondern nur berichtet werden soll«, ungestört ergeht er sich in der zynischen Analogie zwischen sexuellem »Bumsen« und dem »Bumsen« einer Waffe; ungestört läßt er Katharinas unglückliche Mutter »streckenweise« eine Alkoholikerin sein. Aber es kommt noch schlimmer, viel schlimmer. Böll schafft die Grammatik ab. »Schon die Fahrt im Aufzug war eine Qual, da zwei Mitbewohner ebenfalls hochfuhren«, doch waren sie nicht etwa hochfahrender Natur, sie fuhren nur ein paar Stockwerke hinauf. »...und von hier an wurde ihre Aussage protokolliert und liegt als solche vor« – Böll meint das Protokoll, nicht die Absicht. »Fasziniert, auch entsetzt hörte nicht nur Katharina Blum, auch alle anderen

Anwesenden dieser ... Berechnung zu« — und das, allerdings, liest man entsetzt, da der Singular der Katharina auf den Plural der Anwesenden angewandt wird: Jeder Volksschüler weiß, daß die Anwesenden nicht »hörte«, sondern »hörten«. Das alles und viel mehr steht aber nicht etwa in den Protokollen, aber unkenntlich karikiert, es ist auch nicht die karikierte Sprache des Boulevardblattes, das Böll, verallgemeinernd und keinen Prozeß riskierend, »Zeitung« nennt: Das alles ist Bölls eigener Erzählerstil. Der Verdacht überdies, Böll habe seit dem Goebbelsschen »Angriff« keine Boulevardzeitung gelesen, ist nicht von der Hand zu weisen, denn diese Blätter sind unterdessen derart raffiniert geworden, daß ihnen ein so primitiver Satz wie »Will die Polizei, will die Staatsanwaltschaft tatsächlich dem schandbedeckten Götten glauben, der die Blum voll entlastet?« nie zu Blei wurde. Ophelia: »O welch ein edler Geist ist hier zerstört!«

V.

Der Zorn hat ihn zerstört. Die Baader/Mein-
hof-Bande, deren Verbrechen Böll in ein Pas-
sionsspiel umfunktioniert, war nie so edel,
wie es der Autor darstellt, und was die ver-
haßte Presse betrifft, so haut sie zwar zuwei-
len über die Stränge, aber es handelt sich nur
um Strenge, wenn es um solche Fälle geht wie
die Aufdeckung der Baader/Meinhof-Affäre.
In Amerika, wo es ja auch häufig »bumst«,
wäre Bölls Reporter Tötges nicht von einer
reinen Törin erschossen worden, er hätte den
Pulitzer-Preis bekommen. Böll flimmert es
vor den Augen: Wo die Presse nicht rot sieht,
da sieht er rot. Sie hat es gewagt, an seinem
Monument zu mäkeln, und beinahe hätte es
ihn den im Wahljahr 1972 von Schweden so
großzügig verliehenen Nobelpreis gekostet. In
solchem eitlen Zorn – eitel in des Wortes
doppelter Bedeutung – entsteht eine langwei-
lige Mischung aus Dichterprätention und
Räuberpistole. Was weiter? Weiter nichts als
dieses: Wohin Zorn führt und wie Gewalt aus
ihm entstehen kann.

VI.

In masochistischem Vergnügen klatscht die Linkspresse Beifall – der geschäftstüchtige »Spiegel« druckt noch den Illustriertenroman, »Die Zeit« spricht schon in einer einzigen süßsauren Rezension fünfmal von einem »Werk«, statt von einem Machwerk zu sprechen. Harakiri auf deutsch. Da ist Kiepenheuer & Witsch zu loben. Die Sprache seines prominentesten Autors hat auf den Verlag abgefärbt. Man liest im Klappentext: »Im Motiv und Stil zeigt sich diese Erzählung als Fortschreibung des großen Romans *Gruppenbild mit Dame.*« Der Verlag wollte Fortsetzung, Ausbau, Ergänzung sagen. Böll aber hat in der Tat nicht nur »Gruppenbild mit Dame«, er hat auch Heinrich Bölls Werk »fort-geschrieben«.

(in: Die Welt, 18. 8. 74)

Zehn Jahre später

Ein Nachwort von Heinrich Böll

Hartnäckig hält sich das Gerücht, diese *Erzählung* wäre ein Terroristen-*Roman*; erst kürzlich hat ein angesehener Professor für Informatik das Gerücht fortkolportiert: offenbar scheut auch er es, sich zu *informieren*; da wäre die Frage zu stellen: wie informiert sich ein Informatiker? Aus dem »Hörensagen«, aus zweiter, dritter oder gar sechster Hand? Natürlich will ich niemandem zumuten, die Erzählung zu lesen, aber wenn sich ein Zeitgenosse mit der hohen Verantwortung eines Informatikers, der Informatik *lehrt*, über einen Gegenstand äußert, sollte er sich doch informieren können. Es gibt in dieser Erzählung nicht einen einzigen Terroristen, auch keine Terroristin; was es allerdings gibt, das sind des Terrorismus *Verdächtige*, und ich bin der bescheidenen Meinung, auch ein Informatiker könnte den Unterschied kennen zwischen einem Verdächtigten und einem Überführten. Wer auch nur zehn Jahre zurückzudenken imstande ist, wird sich der Jahre erinnern, in denen eine ZEITUNG Ver-

leumdungen und Verdächtigungen aus-
streute; dieselbe ZEITUNG, die dutzend-
weise Menschen als Mörder bezeichnete,
denen noch kein Mord nachgewiesen worden
war.

Erst kürzlich mußte unser gegenwärtiger
Familienminister eine Meldung dieser Zeitung dementieren, die eine verteufelte Ähn-
lichkeit mit der ZEITUNG hat. Erst wenn sie
Ärger mit Zeitungen bekommen, bemerken
Politiker, auf welche Zeitung sie sich einge-
lassen haben – und doch lassen sie sich
immer wieder ein. Es ist wirklich verlorene
Zeit, über gewisse Zeitungen noch ein Wort
zu verlieren.

Über diese Erzählung ein Wort verlieren? Ich
will's versuchen. Zehn Jahre sind eine lange
Zeit. Ich hätte dieses erzählerisch verkleidete
Pamphlet längst vergessen, würde ich nicht
hin und wieder durch völlig desinformierte
Informatiker daran erinnert; ein Pamphlet,
eine Streitschrift, war's nämlich, war als solches gedacht, geplant und ausgeführt, und
gerade die Abendländer, humanistisch gebildet wie sie nun einmal sind, hätten doch
wissen müssen, daß Pamphlete zur besten
abendländischen Tradition gehören; ich bin ja

nun auch einer aus dem Abendland und habe sogar andeutungsweise eine gewisse humanistische Bildung. Also, möglicherweise vergessen hätte ich dieses als Erzählung verkleidete Pamphlet gegen die ZEITUNG, würde ich nicht hin und wieder – und nicht nur von »Rechten«, auch von solchen, die sich »links« dünken – in vorwurfsvollem Ton daran erinnert, daß ich eben diesen Terroristen-*Roman* (der gar keiner ist – weder ein Roman noch kommen Terroristen darin vor) geschrieben habe. Die »Rechten« ärgern sich sowieso, die »Linken« ärgern sich, weil der Roman doch nun einmal in einer Zeit »spielt«, in der wir eine halblinke (oder sollte ich sagen pseudohalblinke?) Regierung hatten. Vorzuwerfen habe ich mir nur eins: daß dieses Buch fast zu harmlos ist. Es ist ja nicht mehr als eine Liebesgeschichte mit dem »Handlungskern« (englisch und einfacher ausgedrückt, mit dem »plot«) eines Groschenheftes: ein »einfaches Mädchen« (oh, hätte ich je einen *einfachen* Menschen kennengelernt, noch kenne ich keinen!), ein besseres Dienstmädchen, verliebt sich in einen Menschen, von dem sich später herausstellt, daß er von der Polizei gesucht wird. Ihrem

Charakter nach hätte sie sich sogar in ihn verliebt, wenn sie vorher gewußt hätte, daß er von der Polizei gesucht wird. Das gibt es. Die Liebe ist ja nun einmal eine verflucht merkwürdige Sache. Es gibt Frauen, die Verbrecher lieben, nicht weil, sondern obwohl sie Verbrecher sind. Verfluchte Tatsache, die der ZEITUNG, die nur ihre eigenen Verbrechen liebt und jegliche Tatsache verfälscht, nicht gefällt und nicht einleuchtet. ZEITUNG ist derart vollgesogen mit Verlogenheit, daß in ihr sogar eine unverfälschte Tatsache als Lüge erscheinen würde. Kurz gesagt: sie zieht sogar die Wahrheit in den Dreck, wenn sie sie »wahrheitsgemäß« wiedergibt. Wenn sie schreiben würde: DIE ROSEN BLÜHEN WIEDER, würden mich Zweifel befallen, auch wenn ich vor einem blühenden Rosenbeet stünde. Das Sprichwort: »Wer einmal lügt, dem glaubt man nicht, und wenn er auch die Wahrheit spricht«, müßte man in diesem Fall abwandeln: »Wer tausendmal lügt, dem glaub ich nicht, auch wenn er *einmal* die Wahrheit spricht«. Im Falle der *tatsächlich* blühenden Rosen müßten einem diese nun wirklich schönen Blumen leid tun, weil sie der Verlogenheit als Alibi dienen müssen.

Diese Katharina Blum, die noch nicht viel Liebe erfahren hat, diese fleißige, tüchtige, völlig unpolitische Person, die sich, ökonomisch betrachtet – und das aus eigener Kraft und Planung – im *Aufschwung* befindet, ja, sie ist das verkörperte Wirtschaftswunder, mit Auto, Eigentumswohnung und einigen Ersparnissen – ihr Auge fällt auf diesen Ludwig Götten, und er ist ihrem Auge wohlgefällig. Frauen, die ein Auge auf jemand werfen, haben nicht immer alle gängigen Steckbriefe in ihrer Handtasche, tragen auch nicht das Strafgesetzbuch, nicht einmal das Bürgerliche Gesetzbuch ständig mit sich herum. Schlimm wird die Sache, weil ihre Liebe erwidert wird! Das weiß doch jeder, wie hoch die Flammen schlagen, »wenn zwei sich lieben.« Und Götten, der wirklich Straffällige – er ist ein Defraudant und Deserteur – ist tatsächlich »der Liebe fähig«! Konflikte (siehe den Gang der Erzählung!) sind unvermeidlich, zumal dieses »einfache Mädchen« (wo gibt es eins, wo?) zwei weitere verfluchte Eigenschaften hat, die in allen Sagen und Märchen hochgepriesen werden: TREUE und STOLZ. Die Situation ist nicht mehr nur konfliktgeladen, sie wird explosiv. Da liegt Dynamit in der

Gegend herum, und die ZEITUNG, diese zerstörerische verlogene Überschnauze, die sowohl der Polizei Informationen liefert wie von der Polizei solche bekommt (das gibt es, und bei solchem Austausch werden lächerliche Kleinigkeiten zu Verdachtsmomenten), haut rein mit Schlagzeilen, Verdächtigungen, Verleumdungen, Gemeinheiten; da blühen keine Rosen, das »einfache Mädchen«, das sich inzwischen wirklich strafbar gemacht hat, indem es seinem Liebsten zur Flucht verhilft, es verliert seine Ehre, seine Würde. Sie verhilft ihrem Liebsten nicht nur zur Flucht, übergibt ihm auch noch den Schlüssel zu einem Versteck, den ihr irgendein Kerl, der einmal vergebens hinter ihr her war und der ihr zu allem Überfluß auch einmal einen verhängnisvoll teuren Ring schenkte, zugesteckt hat, weil er – vergebens, dieser Feigling! – auf ein Rendez-vous gehofft hat. Wie sie an den Schlüssel gekommen ist, das ist ein kleiner Krimi im Krimi. Katharina macht sich – und da kommt wieder der Groschenroman zum Vorschein! – »aus Liebe strafbar«. Das gibt es. Es ist ein uraltes Motiv der Kriminal-Literatur. Und da nun die ZEITUNG vor nichts zurückschreckt, sie der ZEITUNG auch den

Tod ihrer Mutter zuschreiben muß und der Reporter nun gar nicht versteht, warum sie so böse auf ihn ist, explodiert sie. Er hat sie doch immerhin berühmt gemacht, und nun könnte man doch gemeinsam an ihrer Geschichte »absahnen«, das heißt: nachdem man sie fix und fertig gemacht hat, könnte man jetzt ihre »wahre« Geschichte veröffentlichen, die natürlich ebenso verlogen ausfallen würde, wie alles »Wahre«, was in der ZEITUNG steht. Wahrscheinlich gibt diese fürchterliche »Unschuld« des Reporters, der doch nur seine Pflicht getan hat, indem er der ZEITUNG Schlagzeilen und Sensation lieferte – und jetzt einer anderen Zeitung wahrscheinlich die »wahre« Geschichte liefern möchte – diese fürchterliche »Unschuld«, ja fast Ahnungslosigkeit des Reporters – es könnte sein, daß sie den Ausschlag gegeben hat für Katharinas Griff zum Revolver. Sie hatte noch begriffen, daß die ZEITUNG gemein ist – diese »unschuldige« Gemeinheit muß ihr den Rest gegeben haben. Ein »einfaches« Mädchen verzweifelt und begeht eine Verzweiflungstat, einen Mord, der im Groschenheft »Bluttat« heißen würde. Ob sie die Absicht hatte, den Reporter zu töten? Immerhin, sie hat sich die Pistole besorgt. Mag das Strafgesetzbuch wirksam werden. Es gibt nicht nur Konflikte, die tödlich enden; es gibt Konflikte, die, wenn man einem Menschen zuviel zumutet, unerbittlich auf ein tödliches Ende zulaufen. Das ist auch im Abendland bekannt und könnte sogar Informatikern bekannt werden.

Wichtig ist: die Erzählung hat nicht nur einen Titel: »Die verlorene Ehre der Katharina Blum«, sie hat auch einen Untertitel: »Wie Gewalt entstehen und wohin sie führen kann«. Über die Gewalt von SCHLAGZEILEN ist noch zu wenig bekannt, und wohin die Gewalt von Schlagzeilen führen kann, darüber wissen wir nur wenig. Es wäre eine Aufgabe der Kriminologie, das einmal zu erforschen: was ZEITUNGEN anrichten können, in all ihrer bestialischen »Unschuld«. Aber die Erzählung hat nicht nur Titel und Untertitel, sie hat auch ein Motto: »Personen und Handlung dieser Erzählung sind frei erfunden. Sollten ·sich bei der Schilderung gewisser journalistischer Praktiken Ähnlichkeiten mit den Praktiken der »Bild«-Zeitung ergeben haben, so sind diese Ähnlichkeiten weder beabsichtigt noch zufällig, sondern unvermeidlich.« Titel, Untertitel, Motto, diese drei scheinbaren Kleinigkeiten, sind wichtige Bestandteile der Erzählung. Sie *gehören* dazu. Ohne sie ist die pamphletistische Tendenz – und das ist fürwahr eine Tendenz-Erzählung! – nicht verständlich. Wer sich mit dieser Erzählung beschäftigt, sollte sich zunächst mit diesen drei vor-gesetzten Elementen beschäftigen, sie sind schon fast eine Interpretation.

Eine Hamburger Schulklasse ließ mich neulich durch ihre Lehrerin fragen, was denn »weiter passieren würde«, wenn Katharina und Ludwig »eigentlich« 1982 aus dem Gefängnis kommen müßten. Eine gute Frage, die ich mir noch nie gestellt habe. Nun, da die beiden nie Terroristen waren, werden sie wohl kaum jetzt dazu werden. Katharina würde wahrscheinlich länger sitzen müssen als Ludwig. Sie würde vielleicht zunächst in der Küche, später wohl in der hauswirtschaftlichen Planung des Gefängnisses arbeiten, Ludwig bevollmächtigen, gemeinsam mit dem Anwalt Blorna ihr Vermögen zu versilbern und sich schon einmal nach einem kleinen Hotel umzusehen, das sie gemeinsam betreiben könnten. Ludwig und ein paar

Freunden wird sie gestehen, daß sie nicht vorhatte, Tötges zu töten, daß es plötzlich »über sie kam«, als er ihr – in all seiner fürchterlichen Unschuld – kommerziell kam – und auch sexuell. Er war ihr vollkommen fremd – und sie sich selbst. Natürlich weiß sie, daß sie eine Mörderin ist, und das ist der Grund, warum sie keine Kinder haben will. Sie möchte nicht, daß den Kindern einmal nachgesagt und nachgerufen wird, daß ihre Mutter eine Mörderin sei. Ich würde ihr raten, einen anderen Namen anzunehmen, sich das Haar, wenn sie blond war, schwarz, und wenn sie schwarzhaarig war, blond zu färben. Je älter sie wird, desto schwerer wird sie's mit sich selbst haben; sie ist eine äußerst *gewissenhafte* Frau, auch wenn sie einen Mord begangen hat. Das gibt es, und ich hoffe, daß Ludwig ihr ein guter Gefährte ist.

Übrigens war die Reaktion der Presse, die sich getrost als mit diesem Buch »gemeint« verstehen konnte, nicht nur – verständlicherweise! – böse, sondern streckenweise geradezu albern. Man verzichtete auf die wöchentliche Bestseller-Liste, weil man das Buch hätte nennen müssen. Auch mächtige Imperien sind nicht immer so souverän, wie

sie tun. Der Papst des Imperiums ließ sich zu
einer *direkten* Klage nicht herab. Er schickte
seine Ministranten vor, seine Kardinäle – bei
Papstmessen ministrieren ja auch gelegentlich Kardinäle. Gebüßt habe ich, bereut
nichts.

P.S.
Inzwischen ist die Bild-Zeitung ja fast schon
das regierungsamtliche Blatt. Ministerielle
Verlautbarungen zu wichtigen politischen
Themen erscheinen am Sonntag oder Montag
in einer der Bild-Varianten. Zufall ist das
nicht.

Heinrich Böll

KiWi Paperbackreihe bei Kiepenheuer & Witsch

HEINRICH BÖLL
DER ENGEL SCHWIEG

Roman

Leinen

Dieser frühe, bisher völlig unbekannte Roman Heinrich Bölls erscheint 1992 – 40 Jahre nach seiner Entstehung. Er blieb unveröffentlicht, weil sein Thema: die Zeit kurz nach dem Krieg, Anfang der 50er Jahre nicht mehr opportun war. Heute zeigt sich, daß in diesem Roman alle wichtigen Motive der späteren Werke Bölls aufgenommen wurden. Für jeden, der das Böllsche Werk liebt, ist diese Liebesgeschichte, »die der Phrasenlosigkeit der heimkehrenden Generation entspricht, die weiß, daß es keine Heimat auf dieser Welt gibt« (Böll), eine Entdeckung.

»Dieses Buch ist so etwas wie der ›Böllsche Urfaust‹: er besitzt Anmut und poetische Kraft ... Unser Bild von Böll: nein, wir müssen es dieses Buches wegen nicht revidieren. Aber es erfährt eine Ergänzung und läßt sein frühes Werk in einem neuen Licht erscheinen – *Der Engel schwieg* ist fortan der Schlüssel zum Romancier Heinrich Böll.«

Jochen Hieber, FAZ

KIEPENHEUER & WITSCH

Joseph Roth

KiWi Paperbackreihe bei Kiepenheuer & Witsch